Sabiduría

para el nuevo milenio

SRI SRI RAVI SHANKAR

Sabiduría
para el nuevo milenio

———◆———

CREAR UNA RELACIÓN SUPREMA
CURACIÓN CON LA CONCIENCIA,
AMOR, EGO, Y EL PROPÓSITO DE LA VIDA
MUERTE Y MÁS ALLÁ DE LA MUERTE
JESÚS Y BUDA

EL ARTE DE VIVIR

Sri Sri Ravi Shankar
  Sabiduría para el nuevo milenio / Sri Sri Ravi Shankar; con la dirección
  de Beatriz Goyoaga. - 1a ed. - Buenos Aires : El Arte de Vivir, 2007.
  240 p.; 21x14 cm.

  ISBN 978-987-1416-16-5

  1. Espiritualidad. I Goyoaga, Beatriz, dir. II. Título
  CDD 291.4

© Copyright de todas las ediciones
  Fundación El Arte de Vivir

Fundación El Arte de Vivir
Conesa 1051, Buenos Aires, República Argentina
www.elartedevivir.org

Este libro fue preparado por el equipo internacional de
colaboradores de El Arte de Vivir.

impreso en la argentina - printed in argentina

ISBN 978-987-1416-16-5

Indice

Prólogo

Durante la educación general se nos enseñan muchas cosas. Aprendemos a leer y a escribir, algo de ciencias, matemáticas, geografía e historia. Algunos incursionan en la música o en el arte. Pero lamentablemente, no se nos ha enseñado el conocimiento más importante: cómo manejar nuestra propia mente y emociones que nos permita desarrollar el potencial humano y disfrutar al máximo lo que la vida nos ofrece. No existe nada superior a este conocimiento para mejorar la calidad de la vida.

Los niños, que aún no han acumulado mucho estrés, tienen abundante energía, entusiasmo, alegría profunda y amor incondicional. Estas cualidades que se manifiestan espontáneamente en un niño, demuestran la más verdadera e intocable esencia de la humanidad. Todos nacemos con una fuente de amor y alegría. Estas cualidades no son simplemente emociones, son la esencia de nuestra existencia. La verdad de nuestra esencia no puede cambiar, sólo puede encubrirse y esconderse detrás nuestro.

A medida que crecemos, el estrés se acumula en forma de toxinas en el cuerpo y como emociones negativas en la mente. El efecto del estrés y las diferentes formas en que se manifiesta, disminuyen la salud física e instalan en nosotros patrones mentales y emocionales insanos. Cuanto más aumenta el estrés, más emociones negativas como el miedo y la rabia afectan nuestra vida, consciente o inconscientemente.

Cuando nuestra innata fuente de alegría y amor queda bloqueada por largo tiempo, la mente va hacia distracciones que sólo proveen alegría temporal y limitada y nuestra atención se enfoca más frecuentemente en el pasado o el futuro y menos en el momento presente. De esta forma la mente queda atrapada la mayor parte del tiempo en lamentos por algo que ya pasó o preocupada por el futuro; glorificando el pasado o continuamente planeando cómo ser feliz en el futuro, sin notar que esto impide ser feliz aquí y ahora.

Si observan la mente, verán qué poca atención se le da al momento presente. Estar presente no sólo significa estar atento a lo que está ocurriendo a nuestro alrededor, sino también estar consciente de lo que estamos sintiendo interiormente. Significa estar conectado con nuestros sentimientos y ser genuinos en nuestras interacciones. Generalmente, los sentimientos se expresan sin ser realmente sentidos. A menudo decimos: *"te amo"*, o *"encantado de conocerte"*, sin realmente sentirlo en ese momento. Muchas veces decimos algo mientras nuestra mente está en otra cosa. Cuando alguien nos habla, estamos más ocupados pensando en lo que diremos luego, que en atender a lo que nos está diciendo. Se puede experimentar mucha más alegría, amor, intimidad y aprecio cuando estamos realmente presentes; pero la mente ya ha sido condicionada de otra manera.

Las influencias culturales nos llevan aun más a enfocarnos en cosas externas para encontrar felicidad o amor y a culpar a otros cuando sentimos rabia, celos, u otras emociones negativas. Y como la verdadera auto realización no se encontrará jamás fuera nuestro, el continuar enfocado en lo externo nos lleva a un ciclo de deseos sin fin.

A menudo se espera que la felicidad, o una mayor felicidad llegue en el futuro una vez que *"algo"* se logre. La mente piensa: *"Seré feliz cuando finalmente consiga eso."* Los jóvenes piensan que serán felices cuando sus padres les den libertad. Los solteros creen que serán felices cuando encuentren la pareja correcta. Los casados piensan que serían felices si su pareja cambiara algunas cosas. Otros piensan que serán felices cuando tengan más dinero, más fama, un empleo mejor, una casa mejor, cuando se jubilen, etc. Ser feliz se proyecta siempre al futuro, sin embargo la felicidad no puede experimentarse en el futuro, sino sólo en el presente.

Cuando se nos cumple un deseo, nos sentimos felices por un tiempo, pero más tarde surge otro deseo y nuevamente miramos hacia el futuro. La satisfacción duradera y genuina no se alcanza a través del éxito, la fama o las relaciones sociales de este mundo. Muchos creen que la realidad es simplemente eso; de esta forma el verdadero motivo de la vida no nos queda muy claro, y buscamos recompensas superficiales, pensando que la verdadera satisfacción es inalcanzable.

El problema reside en que la mente desea alegría y amor infinitos, pero las cosas del mundo, sólo pueden darnos alegría temporal y finita. Esto no quiere decir que no debemos tener deseos, lo que tenemos que hacer es dejar la costumbre de esperar a que la felicidad llegue en el futuro y ser felices con lo que tenemos ahora mismo.

El pasado de nuestra sociedad ha sido reconocido por la búsqueda de mayor confort exterior a costa de sacrificar nuestro mundo interior. En unas pocas generaciones, nuestra civilización avanzó con la más sorprendente tecnología e increíble abundancia y libertad, pero esto no ha ayudado a que la gente tenga vidas realmente felices y colmadas de amor. A medida que la tecnología avanza, el ritmo y las presiones de la vida sólo se han incrementado, creando más estrés y tensiones.

Superficialmente, la vida parece ser mucho mejor que en el pasado, pero bajo la superficie oímos que millones de personas dependen de medicamentos antidepresivos; que las enfermedades relacionadas con el estrés son epidémicas, que gran parte de la población utiliza estimulantes o relajantes como la cafeína y el alcohol, y en muchos casos, también se droga o se automedica.

La sociedad acepta estos hechos como normales simplemente porque la forma de disolver el estrés acumulado, abrir el corazón y expandir la conciencia, se desconoce o no ha sido adoptada. La mayoría sólo aprende nuevas formas de aceptación y felicidad limitada, en lugar de buscar la forma de escapar a estas limitaciones para vivir la alegría y el amor profundos que deberían ser naturales a la experiencia humana.

Si comprendiéramos mejor el funcionamiento de la mente y nuestras emociones y si de tanto en tanto nos tomáramos un poco de tiempo para instalarnos en nuestro interior, no necesitaríamos las diversas muletas que la gente utiliza como soporte. Ahora llegó el momento de orientar nuestra atención hacia el interior, de explorar lo que podemos hacer para desarrollar nuestro potencial interno.

En primer término, debemos atender nuestras necesidades espirituales. La esencia de la espiritualidad radica en conocernos mejor. La espiritualidad no es ponderar algo que está fuera de este mundo, es reconocer que el espíritu es la base y sostén de cada cosa. Una experiencia espiritual no es nada del otro mundo, es sentir la íntima conexión que uno tiene con cada cosa, con cada persona, en este mundo.

Finalmente, la profundidad de la alegría y el amor que experimentes en esta vida no está determinada por lo que poseas, sino por cómo te conoces a ti mismo y por la forma en que hayas eliminado los obstáculos que te impiden experimentar tu verdadera naturaleza. Esto es, el Ser que experimentaste cuando eras niño. Lo ideal es tener la inteligencia y el entendimiento de un adulto maduro, conectado internamente a su propia fuente de alegría y amor como la experimenta un niño. Lo que necesitamos es lo que ya tenemos, sólo debemos eliminar los obstáculos y dejar que brille.

Comprender las tendencias de la mente y las leyes que la rigen, ayuda a liberarse de los patrones de conducta. Comprender las emociones negativas por lo que son y porque nos vienen a ayudar a que no nos dejemos llevar por ellas. El conocimiento nos ayudará a distinguir lo que está ocurriendo y a llevar a la mente al momento presente. Saber que uno es mucho más que sólo mente, que sólo pensamientos o emociones, expande la conciencia. Pero usar la mente para cambiar la mente tiene limitaciones. La alegría y el amor no son estados de ánimo que se puedan adoptar. La alegría y el amor son nuestra esencia fundamental, más allá de la mera emoción, más allá de la mente.

Obtener conocimiento es esencial, pero esto debe ir acompañado de un estilo de vida saludable y ciertas prácticas físicas y mentales que eliminen el estrés, que es la raíz del problema. Aun el más experto en psicología será incapaz de mantenerse centrado durante una tormenta de emociones si se encuentra estresado. Técnicas como la meditación, el yoga, las técnicas de respiración y la plegaria sincera y de corazón, hechas con regularidad, eliminan el estrés, expanden la conciencia y abren el corazón. Florecer completamente como ser humano es simple, el conocimiento y las prácticas están disponibles, sólo debemos cambiar el orden de nuestras prioridades.

El Nuevo Milenio será probablemente una era espiritual para la humanidad. Ya es evidente que más y más personas buscan respuestas espirituales preguntándose el significado y el propósito de la vida y tratan de alcanzar la auto realización. La guía puede encontrarse en muchas partes, pero finalmente cada cual debe hallar su propio camino.

El conocimiento básico de nuestras emociones y las tendencias de la mente, así como la utilización de prácticas que limpien el organismo de estrés y de impurezas, nos ofrecen los medios para restaurar la conexión con esa fuente de alegría y amor que hay dentro nuestro. El efecto intangible de la plegaria y la gracia pueden jugar un papel importante en este desarrollo para muchas personas.

La búsqueda espiritual siempre será la búsqueda de una nueva sabiduría. Al entrar en la nueva era, esta *Sabiduría para el Nuevo Milenio* nos ofrece una gran cantidad de puntos de vista profundos para continuar con nuestro viaje.

James Larsen

Capítulo I

Conferencia
ante Naciones Unidas
(Ceremonia del cincuentenario)

Queridas almas: Me alegra que estemos reunidos aquí para evaluar las formas y medios de devolver los valores humanos a la sociedad. Hoy veo que la crisis del mundo es una crisis de identidad; las personas se identifican con una profesión, religión, raza, cultura, nacionalidad, lengua, región o sexo y sólo después de todo esto se identifican como seres humanos. La identidad limitada lleva a la guerra. Tenemos que producir un cambio en nuestra identidad básica a través de la educación. En primer lugar somos todos parte de Dios, y en segundo lugar somos seres humanos. Este cambio sólo puede lograrse a través de un correcto conocimiento espiritual.

Sobre este punto quiero hacer una clara distinción entre *"religión"* y *"espiritualidad"*. La religión viene a ser la cáscara de la banana y la espiritualidad es la banana.

Todas las religiones tienen tres aspectos: valores, símbolos y costumbres. Mientras que los valores son los mismos en todas las religiones, los símbolos y las costumbres difieren. Hoy hemos olvidado los valores y simplemente nos aferramos a los símbolos y a las costumbres. Solo la espiritualidad puede nutrir los valores humanos, eliminar las frustraciones y traer conformidad y felicidad a la vida.

La educación correcta es aquella que crea en cada persona un sentimiento de pertenencia con el mundo entero, que abrace todas las religiones del mundo como suyas y pueda elegir una para practicar sin desvalorizar a las otras. Los miembros de una misma familia pueden practicar más de una religión. Esta debería ser la estrategia para el siglo XXI.

En esta era en que la tecnología ha avanzado, nos hemos preocupado muy poco por las necesidades emocionales y espirituales de la gente; ni en casa ni en la escuela se nos ha enseñado a manejar nuestra propia mente.

Técnicas respiratorias como el *pranayama*, la meditación y el yoga permiten liberar tensiones y emociones negativas y ayudarnos a vivir en el presente. El hombre se preocupa por el pasado o por el futuro, o se queda atrapado en la negatividad. Sólo la espiritualidad puede ayudar a deshacerse de la negatividad y vivir el presente. La plegaria, combinada con el silencio, nos puede conectar con la infinita fuente de poder que yace en lo profundo de nuestros corazones.

Una mente libre de estrés y un cuerpo libre de enfermedad son el derecho natural de cada ser humano. Esta augusta asamblea podría diseñar un programa e implementar un plan para introducir el conocimiento espiritual en diversos niveles de la sociedad, como en escuelas, universidades y centros de rehabilitación. Sólo entonces reduciremos la crisis y las enfermedades en nuestro entorno.

Debido a la falta de educación espiritual apropiada y a la total falta de entendimiento y comprensión de todas las religiones del mundo, el fanatismo religioso se ha enraizado en muchas regiones. La espiritualidad sin dogma y entendiendo que abarca a todos, es necesaria para el siglo XXI.

Ahora es el momento para que prestemos atención a esto. La evolución humana tiene dos etapas: La primera es pasar de ser *"alguien"* a ser *"nadie"*, y la segunda, pasar de ser *"nadie"* a ser *"todos"*. Este conocimiento puede hacer que el mundo se cuide y se comparta.

Capítulo II

Nuevo Milenio,
Nueva Era

Lo que generalmente se entiende como evolución en el desarrollo humano se presenta como lineal. Esta línea de pensamiento asume que el hombre evolucionó desde tiempos bárbaros, incivilizado al comienzo, y luego de un largo período gradualmente se civilizó, se hizo más culto y con mejores condiciones. Esta es una conclusión muy limitada. Si retrocedes a civilizaciones más antiguas, encontrarías que en aquellos tiempos había gente muy inteligente. La naturaleza no privó a ninguna generación, en ninguna época, de civilización, cultura y refinamiento. Por supuesto, ha habido tiempos en que la vida ha sido más culta y civilizada que en otros.

Hace ya mucho, el tiempo era visto como una rueda o círculo en vez de lineal. Un círculo significa que siempre se vuelve al mismo punto. Desde la *Era de la Oscuridad* se vuelve a la *Era Dorada*. Luego, con el correr del tiempo el conocimiento de una civilización se pierde y más tarde, en un futuro, se reaviva nuevamente. Lo que hoy denominamos *"Nueva Era"* (New Age) no es nada nuevo; todo es muy antiguo.

El cambio entre la *Vieja Era* y la *Nueva Era* es un cambio entre el prestigio y la autoestima. Basta una visión retrospectiva del siglo pasado o aun de las últimas décadas; los valores eran muy diferentes. La gente estaba mucho más pendiente de la ostentación, o mucho más preocupada por lo que los demás pensaran de ellos. Con el comienzo de la *Nueva Era,* vemos que los valores cambian. En la *Vieja Era* la gente creía ver a Dios en alguna parte en las nubes. En la *Nueva Era,* la idea de que Dios está dentro de nosotros, que somos parte de lo Divino, va cobrando más fuerza.

La gente de la *Nueva Era* habla en términos de ángeles y conciencia, pone más énfasis en los valores humanos, el amor y la meditación. Si alguien hubiera hablado sobre el amor unas décadas atrás, se habría pensado que se trataba de charlatanería y de algo poco científico. La *Vieja Era* estaba más orientada hacia la cabeza; la *Nueva Era* está más orientada al corazón; sin embargo la gente continúa buscando más sustancia. Muchos de los así llamados conocimientos de la *Nueva Era* no tienen ningún sostén de peso porque, para decirlo de algún modo, son bastante livianos.

En la *Vieja Era*, se ponía mucho más énfasis en cosas como los pesticidas y antibióticos, mientras que en la *Nueva Era*, el énfasis vuelve a la agricultura orgánica y natural. Estar más en contacto con la naturaleza y utilizar hierbas medicinales naturales es otra sabiduría de la antigüedad. Algunas décadas atrás, el yoga era considerado algo muy raro y no digno. Sentarse en el suelo o ponerse en cuclillas no era bien visto. Hoy el yoga está muy de moda. Por donde vas encuentras gente practicando yoga para cuidar su salud, y sus beneficios están científicamente documentados. Lo que alguna vez fue considerado primitivo se ha vuelto significante, y lo que se consideraba tecnología de avanzada y civilizada, se comprobó que era destructivo. Es por eso que digo que el tiempo no es lineal, es una rueda, un círculo y siempre se repite.

La gente piensa que en la antigüedad la gente era bárbara, pero miremos detenidamente los juguetes de los niños de hoy. *¿Te parecen más refinados y civilizados?* Mira las películas o mira la TV, *¿son acaso delicadas?* Estamos volviendo a una *"Nueva Era"* porque el tiempo ha llegado a su momento más oscuro. *¡Es imposible bajar más!* Esta era ha llegado al fondo de la barbaridad y ya no puede descender más. Una vez en el fondo de la rueda, la única dirección posible es hacia arriba. Por eso la gente ahora es más consciente de los valores. Los padres se preocupan por sus hijos y sus valores y por cómo mejorar los valores humanos en cada uno.

Esto es exactamente lo mismo que los antiguos sabios y santos hacían miles y miles de años atrás. Hay antecedentes de ello en los libros de ayurveda, en el yoga y en muchas otras obras que contienen los mismos principios, de un modo más profundo y metódico, que lo que hoy se llama el pensamiento *"New Age"*.

Hace unas décadas, en la India se creía que cantar en público no estaba bien visto, especialmente las mujeres. Las mujeres dignas jamás cantaban en público. No era elegante. El primer productor de cine en India tuvo grandes dificultades en conseguir alguna actriz para que trabajara en sus películas. Sólo las bailarinas de los templos cantaban o bailaban. Hoy los tiempos cambiaron. La música tomó un rol preponderante. El sistema de valores cambió, y el cambio se debe a que los tiempos cambian.

Estamos, creo yo, en una época muy afortunada, porque estamos saliendo de tiempos oscuros hacia una era con más fe, más amor, más compasión, más servicio y más preocupación por los demás. Y no solamente preocupación por los demás, hemos empezado a preocuparnos por el planeta, algo de lo que no se había oído hablar hasta hace muy poco. El medio ambiente se ha convertido en el tema de conversación de esta década.

Décadas atrás nadie se preocupaba por el medio ambiente, y ni siquiera se conocía esta palabra que hoy en día es tan común.

Recientemente alguien dijo: *"no existe ningún lugar en la tierra que no tenga problemas ambientales"*. Afortunadamente esta *Nueva Era* nos ha traído más esperanza y promesa. Hoy reconocemos que existe algo más, más allá de lo material, de la materia, que existe algo más elevado que nuestra rutina diaria.

En décadas anteriores, el tema principal eran los negocios y el amor era algo secundario. Hoy el amor ha tomado un lugar más preponderante. Podemos hablar del amor sin sentirnos avergonzados o tímidos. Hoy se pueden expresar emociones, algo no permitido un siglo atrás. Y esto es especialmente verdad en el caso de los hombres. En el pasado, el hombre no podía expresar sus emociones porque eso era considerado incorrecto. Hoy, expresar las emociones, es algo reconocido y hasta alentado.

El amor y los negocios tienen parámetros opuestos. Son opuestos por naturaleza, por lo tanto no pueden coincidir. En los negocios se trata de dar menos y tomar más. Una banana que valga dos centavos, se vende a diez. En los negocios se vende por más lo que compraste por menos. De lo contrario, *¡no sería negocio! ¡Uno* *no puede comprar algo por diez centavos y venderlo a cinco!* En el amor, en cambio, la idea es recibir el mínimo pero dar el máximo. El amor es dar mucho y recibir muy poco.

Tanto los negocios como el amor, necesitan de un intercambio, una comunicación que fluya. Cuando dentro nuestro crece el sentido de pertenencia, el amor encuentra su verdadera expresión, no solo como algo formal, sino como algo que se experimenta. El *Amor* es ver a Dios en la persona que está junto a nosotros, y la meditación es ver a Dios dentro nuestro: ambos van de la mano.

Lo mejor es combinar lo antiguo con lo nuevo, adaptándolo a la vida moderna actual. Por ejemplo, cuando se comenzaron a inventar los primeros aviones, llevó muchas décadas llegar al diseño adecuado. Mucho antes de que el primer avión levantase vuelo se afrontaron muchos obstáculos, porque no se disponía de proyectos o planos. Nadie tenía ni idea porque no había hecho algo así en el pasado. Y si lo hubo, no quedaron antecedentes.

Lo que el conocimiento de las épocas antiguas nos ofrece hoy, es un mapa sobre el cual podemos hacer nuestra propia investigación. El camino del despertar interior es una búsqueda individual, cada uno debe recorrer el camino y el conocimiento antiguo puede servirnos de guía. El conocimiento será como postes de luz, mostrándonos el camino de tanto en tanto.

Dentro de la comunidad *"New Age"* he oído a muchos hablar de predicciones de terremotos, cambios en el planeta o visiones que tienen sobre algún ángel y cosas por el estilo. Lo que la gente no comprende es el proceso de *yogamaya*, una palabra explicada en detalle en los textos antiguos.

El *Yogamaya* es una especie de juego mental ejecutado por la mente, una ilusión que viene a la mente trayendo consigo algunas visiones. Lamentablemente, muchos creen que estas visiones son ciertas en un cien por cien. La gente va una y otra vez a los videntes a preguntarles este tipo de cosas. Algunas veces, estas visiones pueden ser verdaderas, pero no hay forma de verificar o chequear su exactitud. La sabiduría antigua nos dice que estas visiones podrían ser no más que una alucinación. Reconocer el valor del conocimiento antiguo puede ayudarlos a separar la alucinación de la auténtica realidad.

El uso del conocimiento antiguo también puede ahorrarle a la sociedad investigaciones por cientos de años. Si los actuales herboristas tuvieran que investigar por su cuenta qué hierba es apropiada para qué enfermedad, sin el uso del conocimiento antiguo disponible, les llevaría una eternidad *¡porque hay millones de hierbas!* Al haber ya una guía, un antiguo libro sobre herboristería, pueden recurrir a él y simplemente experimentar con lo que allí dice, ahorrando mucho tiempo y esfuerzo.

Muchos habrán oído que algunos predicen el fin del mundo para una determinada fecha, o cosas similares. Entonces avisan a todos indicándoles que vayan a la iglesia, que regalen todo lo que poseen para que puedan ser llevados al cielo en un carruaje. Las visiones de esta gente son una mezcla de sus propios miedos, ansiedades y deseos. La verdadera visión sólo es posible cuando uno está completamente hueco y vacío, lo que Buda denominaba la total vacuidad de la mente. Para comprobar nuestro *yogamaya*, necesitamos alguien que nos diga si la visión es verdadera o no, si existe alguna pequeña diferencia, o si estamos equivocándonos.

Los que tengan este tipo de experiencias, podrían tomarse un poco más de tiempo, examinarse más cuidadosamente, meditar más e ir más profundo, entonces tendrán mas claro la diferencia entre ilusión y realidad. Este conocimiento, que ayuda a discernir, es lo que la *Nueva Era* moderna debe tomar de la sabiduría de eras pasadas.

Capítulo III

Crear una
relación suprema

Los seres humanos se diferencian de otras especies por la complejidad y la dificultad en sus relaciones. Cuanto más avanzados somos, más debemos enfrentar el desafío de las relaciones. Los animales no tienen ningún problema en relacionarse. No buscan consejo ni terapeutas. Tampoco las sociedades tribales tienen dificultades en sus relaciones.

LA NECESIDAD DE CONECTARSE

En cada ser humano existe una profunda necesidad de conectarse. Esta necesidad lo pone a uno en la búsqueda de una relación y una vez conseguida, queremos que dure para siempre. Cuando dices o escuchas a alguien decir *"te quiero mucho"*, la respuesta típica es *"¿me amarás para siempre?"*. Queremos que ese amor sea para siempre. En este momento alguien está enamorado de ti o tú estás enamorado de alguien, pero no es suficiente. Muchos, incluso, dicen: *"Te amaré por siempre, para toda la vida, hasta mi último aliento"*. Las palabras varían pero lo que deseamos es que el amor sea eterno. No nos alcanza tener amor en este momento.

También nos gusta saber que esa relación tiene alguna conexión en el pasado. A menudo se dice: *"Estoy seguro que esta conexión que tenemos viene del pasado, tal vez seas mi alma gemela"*. Queremos que la conexión sea profunda y aspiramos a que dure hasta la eternidad. Esta tendencia en nuestra relación indica algo más profundo. Demuestra que la necesidad no viene desde un nivel mental sino desde algún rincón desconocido que no podemos ni imaginar.

¿Y qué importa si alguien estuvo relacionado contigo en el pasado? ¿Por qué debería estarlo en el futuro? Cuando las cosas van bien, piensas que la relación siempre fue así, siempre han estado enamorados. Pero cuando las cosas comienzan a funcionar mal, aun después de muchos años, lo primero que piensas es que estabas equivocado y que jamás estuvieron juntos en una vida pasada. *¿Por qué siguen juntas tantas parejas después de tantos años?* Simplemente observen. Si nuestra relación está basada en una necesidad personal, no durará demasiado. Una vez que la necesidad haya sido satisfecha, ya

sea en el ámbito físico o emocional, la mente busca otra cosa, en otra parte. Si en cambio la relación parte de un deseo de compartir, entonces podrá durar más.

Si sabes remar un bote, puedes remar cualquier bote. Si no sabes remar, cambiar el bote no servirá de nada. Cambiar de relación no resuelve el problema de relacionarse. Tarde o temprano, estaremos en la misma situación con cualquier pareja. Debemos buscar en otra parte. Debemos buscar profundamente en nuestro interior desde dónde empezamos a relacionarnos. Antes que nada, *¿Cuál es la relación que tenemos con nosotros mismos?* Evaluemos eso. *¿Quién eres para ti mismo?*

La repetición

A menudo pensamos: *"Oh, estoy soltero, estoy tan aburrido de estar solo, necesito un compañero/a, necesito una pareja"*. Si estás tan aburrido contigo mismo *¿cuán aburrido puedes llegar a ser para otro?* Dos personas aburridas se juntan y aburren el uno al otro. El amor y el aburrimiento tienen algo en común. La repetición. Si repites algo una y otra vez, te aburrirás. Cuando estás enamorado, repites siempre lo mismo. Los amantes insisten miles de veces: *"Oh, te amo tanto. Te amo tanto! Eres tan hermosa!"*. Díganlo una vez ¡Es suficiente! Pareciera que los amantes no lo hubiesen entendido.

Cuando estás enamorado, lo que dices no tiene tanta importancia. Muchos ni siquiera saben lo que dicen.

Con frecuencia verás en los colegios secundarios o en los dormitorios de las universidades que los enamorados escriben el nombre de su enamorada en libros, paredes y por todas partes; una especie de graffiti. Muchas veces su habitación y su hogar no les es suficiente y entonces también escriben en los trenes, subtes, paradas de autobús: la repetición.

La práctica espiritual es también repetitiva. Rezar el rosario, cantar el nombre de Dios, hacer algo así es repetitivo. Al principio, la repetición te aburrirá. Si te mantienes en ese aburrimiento en vez de dejarlo y escapar, la fuente del amor se abrirá. Cuando continúes y te des cuenta que tú eres la fuente de ese amor, que eres el que da y no el que recibe, sólo entonces tu relación florecerá.

LAS RELACIONES CAMBIAN

La naturaleza de las relaciones es que siempre cambian. Aquí estoy usando la palabra relación en un sentido más amplio, en su verdadero sentido, en la relatividad. Cuando eras niño, sentías gran amor por tus padres, amigos, juguetes y a medida que fuiste creciendo, el amor por los juguetes y las golosinas se fue trasladando hacia otros amigos y de esos amigos se volvió a trasladar a otros una vez más. Luego fuiste padre, y mira cuánto amor sientes por tus hijos, comparado con el que sientes por tus padres. Los padres se preocupan mucho más por sus hijos que por sus padres, porque su atención, su amor, se traslada de los mayores a los menores. Un traslado similar ocurre en la relación entre marido y mujer cuando llega un hijo.

Cuando buscas seguridad, amor y confort en tu pareja, te vuelves débil pues eres el que recibe. Cuando eres débil, todas las emociones negativas afloran y exiges. Las exigencias destruyen el amor. Si tan solo pudiéramos entender esto, evitaríamos que nuestro amor se deteriore y se descomponga.

Comúnmente se dice: *"Me enamoré, caí a sus pies".* Yo les digo, *"No caigan enamorados, elévense en el amor".* El tener poca conciencia de lo que somos y solo una experiencia limitada del amor, nos encapsula en un pequeño y estrecho compartimiento que nos sofoca. Queremos libertad en la vida. El amor, si no se profundiza puede sofocar y eso es lo que está ocurriendo hoy en día. Mucha gente se enamora y se separa. Ni siquiera controlamos lo que pedimos, deseamos o lo que queremos, porque jamás nos atrevimos a entrar en la profundidad de nuestra propia psiquis, nuestra propia mente, nuestra propia conciencia.

Cuando estamos enamorados queremos fusionarnos con el otro, no podemos soportar la distancia. Es por eso que muchos amantes quieren saber todo sobre el enamorado. No toleran los secretos porque el secreto implica distancia. El amor no tolera la distancia.

Los sentimientos cambian

Existen tres aspectos en una relación. Uno es la atracción: o sea en el nivel físico. El segundo aspecto es amor en el nivel mental. El tercero es una conexión más profunda o devoción, a nivel espiritual. Nuestros sentimientos y emociones cambian todo el tiempo. A veces algo nos hace sentir bien y un poco más tarde nos sentimos mal con respecto a lo mismo. *¿Por qué preocuparse tanto por los sentimientos?* La gente suele decir: *"Oh, presta atención a tus sentimientos".* Yo les digo, *¡nunca sigan sus sentimientos!* Te irá mal si sigues tus sentimientos, porque los sentimientos cambian continuamente. Nos sentimos bien y poco después mal por la misma cosa. Sigue tus compromisos, tu sabiduría y te irá mucho mejor.

Muchos estudiantes de medicina, durante el primer o segundo año se sienten frustrados, quieren abandonar y hacer otra cosa. Los que emprenden largas carreras o estudios difíciles suelen sentirse así. Y si se dejaran llevar simplemente por lo que sienten, no tendrían jamás una profesión porque nada mantiene su encanto por largo tiempo. A menudo, para los muy inteligentes, nada se mantiene atractivo por mucho tiempo. Ese es un signo de inteligencia. Una persona apagada, floja, puede continuar con cualquier cosa, pero para los más alertas todo parece perder el encanto rápidamente: excepto que el encanto venga de su más íntima profundidad, desde el centro de su *Ser*. Entonces la mente está por completo en el momento presente y uno tiene raíces profundas y una amplia visión de la vida. Desde allí cada momento está lleno de encanto, todo es hermoso en el mundo. Es entonces cuando uno no se aburre jamás con uno mismo.

Esa es la *Relación Suprema*, cuando puedes relacionarte contigo mismo al cien por cien. Entonces no importa a qué cara mires, verás amor, encanto, belleza. Partes de un lugar de dar y de *"¿qué puedo hacer por ti?"*. *"¿Cómo puedo mejorar tu vida?"*. Si cada pareja partiese de este espacio, *"¿qué puedo hacer por ti?"* se convertiría en una relación suprema entre esas dos personas.

No tenemos que sentarnos a esperar a que un alma gemela aparezca. La gente muchas veces me pregunta, *"¿Cuándo encontraré mi alma gemela, mi media naranja?"* Puedes consultar algún vidente, te puede decir, *"tu alma gemela está por venir". ¿Qué alma gemela?* Les digo, nunca encontrarán su alma gemela a menos que primero encuentren su propia alma. Si no encontraron su propia alma, *¿cómo sabrán quién es su alma gemela?*

Cuando vemos quiénes somos, vemos que no somos nuestras emociones, ni nuestros sentimientos, no somos nuestros pensamientos ni nuestros conceptos. Entonces *¿Quiénes somos?* Esta sola pregunta crea un despertar dentro nuestro y nos quita las trabas de nuestro condicionamiento. Existe una gran expectativa en cada relación con respecto a que la otra persona pueda cambiar. Jamás pensamos de qué manera podríamos cambiar nosotros. Si cambiamos nosotros primero y desarrollamos nuestra conciencia y estamos alertas, crearemos el ambiente para que el otro también cambie, no importa cómo sea.

RESPETO

Sentimos necesidad no sólo de tener amor sino también de que nos respeten. El mayor temor en cualquier relación es que nos pierdan el respeto. El respeto requiere algo de distancia. El amor no tolera la distancia. Este es el conflicto más común en las relaciones. Cuando no estás centrado y no eres profundo, cuando eres superficial, *¿Cómo puedes ganarte respeto?* Cuanto más se te acerca una persona, más temor tendrás de que se entere de tus miedos, tus ansiedades y tus pequeñeces. Esto lleva a que te pierdan el respeto y una vez perdido el respeto, el amor pierde todo su encanto.

¿Te tomaste alguna vez el tiempo necesario para limpiar tu organismo de emociones negativas? ¿Te tomaste tiempo para poder encontrar tu fuente? ¿Te has preguntado de dónde vienes y a dónde regresarás? No pienses que estarás aquí para siempre. Cuando alguien muere, decimos: *"Oh, pobre, se murió. Dios no tuvo misericordia".* Jamás entendemos claramente el hecho de que nosotros también nos iremos algún día. Dentro de cincuenta o sesenta años ninguno de nosotros estará aquí.

¿Adónde irás? ¿De dónde viniste? ¿Cuál es tu relación con el cosmos? ¿Cuál es tu relación con la gente que te rodea? Evaluando esto, entendiendo tus emociones, tus pensamientos, tu propio cuerpo, tu respiración, tu propia belleza, es como superarás el miedo. Una vez que no tengas más miedos en tu vida, el respeto se quedará contigo para siempre. Entonces, cuanto más se acerque tu pareja o cualquier otra persona, más te respetaran. Una vez que el miedo ha sido eliminado, no tiene sentido mantener distancia.

Abandonar los miedos no es un hecho idealista. *"Está bien, es un lindo concepto pero no es posible conse-*

guirlo". No, no es así. Es real. Muchos pueden ver cómo ha ocurrido en su propia vida. Al comienzo mantén
de vez en cuando un poco de distancia con quienquiera
esté muy cerca de ti. Tómate al menos una semana al
año para recargar las pilas, y algún tiempo en forma regular para tener tu propio espacio y poder viajar a tu
propio interior. Cava hondo.

La meditación es profundizar en esa zona de tu Ser
que es amor. Meditar no es solamente sentarse y hacer
algo aburrido, o sentarse a soñar despierto o dormitando. Eres un océano, hay tanta riqueza en tu interior, tanta belleza. Tienes tanto amor para dar y tu
mente es mucho más poderosa. Puedes crear las condiciones que desees en tu entorno, entonces la *Relación Suprema* se dará.

La *Relación Suprema* está más allá del tiempo, porque tú eres atemporal. El tiempo y la mente son sinónimos. El tiempo no es otra cosa que la distancia entre
dos eventos, dos hechos. El amor no es un hecho, el
amor es el *Ser*. El amor no es un acto, es la existencia.
El amor no es una emoción, es tu propia naturaleza.
Los sentimientos cambian, los pensamientos cambian,
las ideas cambian, los cuerpos sufren cambios todo el
tiempo, pero esa sed tan profunda dentro nuestro es
por algo que no cambia, algo que es eterno, algo que
siempre es igual. Por eso, cuando estamos enamorados

usamos frases o expresiones de eternidad. Queremos sentir este amor para siempre porque el amor nos lleva más allá del tiempo. Cuando uno se enamora no se da cuenta del tiempo, uno cree que pasaron solo cinco minutos cuando puede que hayan pasado cinco horas.

Hay algo que puedes comenzar a hacer hoy mismo, que hará que tu relación florezca inmediatamente y eso es partir desde un espacio de contribución, un espacio de dar. Dar *¿qué?* Dar lo que sea necesario. Tiempo, atención, ayuda, dinero, lo que sea. El simple hecho de vivir con la conciencia de querer dar y siendo paciente, elevará la relación.

Entonces podrás remar cualquier bote. *(Claro, alguna vez ocurrirá que el bote tenga un agujero, y entonces deberás cambiar de bote, pero eso es por una razón totalmente diferente).*

Dios

También tenemos nuestra relación con Dios. A Dios se lo nombra en tres personas. En la tercera persona Dios es *"Él"*, en la segunda persona Dios es *"Tú"*, y en la primera persona Dios es *"Yo"*. La gente se siente cómoda dirigiéndose a Dios en tercera persona porque les hace sentirse muy seguros, pero no existe ningún tipo de relación en esa posición. Él existe en alguna parte en las nubes, en el cielo. Él o Dios está en alguna otra parte en tercera persona. Esta es la forma que tienes de escaparte de la realidad.

Ver a Dios en la persona que está a tu lado, o ver a Dios en todo lo que te rodea, o simplemente dirigirte a Dios como *"Tú"*, es más difícil.

¿Cómo puedo decir, "Tú" eres Dios? Si nos dirigimos a Dios en segunda persona, tememos que quiera castigarnos. No nos sentimos seguros. Si yo digo *"Yo"* soy Dios, ver a Dios en primera persona –¡*imposible!*– porque en cuanto miro en mi interior y veo tanta imperfección, *¿cómo podría yo ser Dios?* Pensamos que esto es imposible. Mantener a Dios en tercera persona es más seguro, más fácil de entender y concebir. Queremos mantener intacta nuestra percepción. Esta es la actitud que adopta la mayoría de las personas.

Si sólo vemos a Dios en tercera persona, no estamos en contacto con la realidad, no hay relación con lo divino. *¿Qué es una relación?* Sentir que no existe separación, que no hay distancia, yo soy tú y tú eres yo. Tú eres parte de mí, yo soy parte de ti. Si alguien que es parte tuya, es insultado, sientes que te han insultado a ti. Si alguien que es parte tuya, es alabado, te sientes feliz, como si te hubieran alabado a ti. *¿Cómo podría ocurrir esto en tercera persona?*

Por eso Jesús dijo: *"Para ir a mi Padre deberás pasar a través mío, no hay otra forma, porque yo estoy justo frente a ti"*. Esto también lo dijo Buda y todos los Maestros iluminados. *"Si tienes que ir a Dios, deberás ir a través del Maestro"*. Esto es así porque un Maestro es la segunda persona. Es el vínculo entre la tercera y la primera persona. Al venir al Maestro te das cuenta que no existe separación.

Dios está dentro de ti, tú estás en Dios y Dios está en ti. Tomar conciencia de esto solo puede ocurrir una vez que el estrés, la tensión, las preocupaciones y ansiedades son eliminadas de la mente. La mente es la tapa que mantiene la divinidad dentro de nosotros. Una vez quitado ese envoltorio, descubres: *"Oh, qué hermoso regalo, aquí dentro mío"*. Nuestra vida es como tener un paquete de Navidad, un hermoso paquete, y vivimos con ese hermoso paquete sin abrirlo jamás.

Supón que se comprasen y distribuyesen un montón de regalos entre un grupo de personas y todos dijesen *"Oh, ¡qué hermosos regalos!"* Y agarrasen los envoltorios y se quedasen contentos y satisfechos con sólo mirar los envoltorios y abrir para ver los regalos. El secreto es que todo ese encanto y esa alegría que ves en el mundo, no es más que papel del envoltorio, colorido y hermoso, lleno de diseños brillantes; pero el verdadero regalo está dentro, la divinidad en sí misma. Si llegas a

Capítulo IV

Amor, ego
y el motivo de la vida

Cuál es el propósito de la vida? ¿Qué resultado deseamos obtener de esta vida? Algunos dicen que el propósito de la vida es no regresar a este planeta. Otros dicen que el amor es el propósito en la vida. *¿Por qué dicen que no quieren volver?* Porque ven que aquí no hay amor y si lo encuentran es muy doloroso. Cuando alguien tiene penas y problemas, no quiere regresar. Si este lugar pudiera ser tan maravilloso y lleno de amor y divinidad, entonces el deseo de no regresar simplemente desaparecería. Cuando veamos el motivo de la vida desde todas sus aristas, desde todas sus formas, entendemos que lo que realmente buscamos en la vida es un amor que no termine, un amor que no cause dolor, un amor que crezca y se mantenga para siempre.

Supón que tuvieras muchísimo éxito en el mundo, que te convirtieses en la persona más rica o más famosa, pero no tuvieses amor. La vida así no sería exitosa. La vida sería estéril. Desde donde lo mires vuelves al mismo lugar; todo lo que deseamos en esta vida es amor, amor divino, un amor ideal. El propósito en la vida es que brote y florezca ese amor ideal.

Ahora, la pregunta es, *¿cómo llegar a alcanzarlo?* Cómo conseguir ese amor y descubrir qué es lo que obstruye el camino para obtener ese amor en esta vida. Hay que darse cuenta que el obstáculo que impide obtener ese amor inocente, es nuestro ego.

¿Qué es el ego? El ego es como un sueño. Un sueño existe hasta que no existe más. No se puede decir que un sueño es real pero tampoco se puede decir que es irreal, porque has experimentado el sueño. El ego simplemente no es natural. Si el ego no es natural, *¿por qué todos los humanos tienen ego?* Tenemos ego porque, de alguna manera, es necesario para nuestro crecimiento.

Una semilla tiene una cubierta o una cáscara, cuando se la sumerge en agua la semilla germina y la cáscara cae. Del mismo modo, el ego es una innaturalidad necesaria que se desarrolla en nosotros entre los dos y los tres años. Antes, estamos en un completo estado de dicha y amor inocente. Luego el ego se desarrolla como una cáscara. Lo que el *Conocimiento* hace, es quitarnos este caparazón y hacernos niños, naturales, simples e inocentes una vez más. Cuando uno es natural, simple e inocente, no hay ego.

El ego no es una sustancia, es insustancial como la oscuridad. La oscuridad es solo ausencia de luz. No existe ninguna sustancia conocida como ego. Se podría decir que ego es simplemente falta de madurez o falta de *Conocimiento* puro. *¿Cómo se puede eliminar el ego?* Mediante la auto-observación y comprendiéndose mejor y profundizando en nuestro Ser a través de la meditación.

En los *Bhakti Sutras* (un texto espiritual escrito miles de años atrás por el sabio Narada), se encuentra una frase, un sutra que dice: *"El Conocimiento es una de las ayudas para descubrir la naturalidad"*. El Conocimiento parcial pone al ego en primer lugar. Cuando el conocimiento es total, cuando el conocimiento ha madurado, el ego simplemente desaparece y emerge la sencillez. El ego no es más que ausencia de desarrollo, una falta total de comprensión. Esto no quiere decir que no debería haber existido desde un principio. El ego ha sido necesario, pero ahora puedes abandonarlo.

La gente envejece, pero su edad mental, su madurez, se estanca en determinados momentos de la vida. Algunos se quedan estancados en la década de los veinte, otros se quedan en la década de los treinta y algunos hasta en la adolescencia. Sus pensamientos, sus deseos, todo es visto únicamente desde el prisma de esa época, con ese nivel de madurez. Y no hay mucha toma de conciencia, despertar o evolución.

El *Conocimiento* es una ayuda para desarrollar la parte más íntima nuestra, que es el amor. En tu interior eres amor. Todos estamos hechos de una sustancia llamada amor. *¿Por qué entonces tenemos tantos problemas?* Porque la cáscara, que es el ego, está cubriendo nuestra esencia, ese amor, al igual que la semilla cubierta por la cáscara. Para destapar el ego podemos hacer yoga, meditación, ejercicios respiratorios y *Sudarshan Kriya.* El poderoso efecto limpiador del *Sudarshan Kriya* abre notablemente a las personas en sólo un par de días de práctica.

Cuando alcanzas este conocimiento de la vida, *¿de qué te habrías de preocupar? ¿Por qué ponerse ansioso por una pareja o un hecho?* Simplemente mira hacia atrás y ve cuántas veces tuviste el mismo tipo de conducta. Nos preocupábamos por esto y por aquello y la preocupación continúa. Cuando tomas conciencia puedes observar la vida profundamente, te vuelves muy natural, simple e inocente y mantienes una gran sonrisa.

¿Y por qué la gente comete errores si está llena de amor? Los errores ocurren debido al estrés, las exigencias, la tensión y la ignorancia. Esta ignorancia es lo que llamamos ego, esta oscuridad que no es una sustancia.

Cuando llega la luz, la oscuridad simplemente se esfuma.

El propósito del saber, el propósito de cada civilización, es facilitar la apertura hacia el amor. Algunas personas creen que el *Conocimiento* es suficiente para alcanzar el amor. A través del entendimiento y a través de la meditación, uno cruza estas barreras y se vuelve simple, natural e inocente y esto te conduce al amor. Otros opinan que sólo cuando llega el amor, llega el *Conocimiento* total. Ambas opiniones son válidas porque son interdependientes.

Cuando uno ama realmente algo, quiere saber más sobre ello. Si te amas a ti mismo, quieres saber más de ti. Quieres profundizar. Desear saber más de lo que uno ama es muy natural. Y cuando logras el conocimiento de algo en su totalidad, seguramente lo amarás. Hay un dicho en inglés: *"La familiaridad trae desdén o falta de respeto"*. Puede ser, porque si sólo tienes familiaridad con algo no tienes conocimiento total. Si sientes que las personas son solo simples conocidos tuyos, podrías menospreciarles pero si conoces a alguien perfectamente, si conoces algo perfectamente bien surge el amor, porque en la profundidad de todo hay amor.

El amor es el núcleo de toda la existencia. Por eso Jesús dijo: *"El Amor es Dios"*. El amor es omnisciente y permea todo, como Dios. Jesús nos dio el sinónimo: *"El Amor es Dios"*. La divinidad está en todas partes. Hay un solo amor que también se manifiesta como miedo, odio o enojo; como todas las diferentes emociones.

En todas nuestras relaciones o nuestras negociaciones puede haber solo dos perspectivas, o hay amor o hay indiferencia. No existe una tercera perspectiva. Cuando hay indiferencia, no hay enojo, ni odio, ni miedo. El enojo, el odio, el miedo y otras similares emociones son una forma distorsionada del amor. Vemos cómo todo esto ocurre en la vida. El amor se distorsiona debido a la falta de *Conocimiento*. El *Conocimiento* ayuda a que el amor florezca y el amor a su vez trae el *Conocimiento* completo.

El miedo se tiene por falta de *Conocimiento*. Lo desconocido produce miedo. Algo que has entendido mal te produce odio. El odio es una noción equivocada de lo que la realidad es. Sientes odio cuando alguien hace algo que está mal o algo que te produce dolor. El motivo por el cual esa persona hizo algo malo, no le interesa al que siente odio, no buscan detalles. Cuando alguien te hiere, lo odias. *¿Por qué te hiere?* Porque está sufriendo. Tiene tantas heridas y dolores que lo único que puede hacer es herir a otros. *¿Por qué cometen crímenes los delincuentes?* Porque ellos mismos sufren, porque necesitan curarse, porque no son normales, están enfermos. No entienden, no tienen una clara percepción de ellos mismos.

Si supieras lo que ellos están atravesando, tu odio desparecería de inmediato. Sólo sentirías compasión. Si ves a alguien agitado, enojado *¿te compadeciste alguna vez?* Sentirse así no es agradable. A nadie le gusta estar nervioso o enojado. Si no sentimos compasión cuando vemos los errores ajenos, nos enojaremos.

La causa del enojo es no saber lo que está atravesando esa mujer o ese hombre. Demostrar enojo no está mal, pero no ser consciente de tus enojos te lastimará. A veces puedes demostrar enojo con un propósito. Hay una diferencia. Puedes enojarte con tus hijos. Puedes pretender ser duro o gritarles si corren peligro. Hay lugares y situaciones donde demostrar enojo, pero cuando te enojas contigo mismo, *¿qué te ocurre? ¡Tiemblas!*

¿Alguna vez te sentiste bien con decisiones tomadas o palabras dichas estando enojado? No, porque pierdes tu centro y te dejas llevar por la emoción. Si estás en absoluto control y solo demuestras enojo, eso está bien. El enojo que se transforma en miedo y odio viene cuando no dominamos la situación o cuando no nos ponemos en el lugar del otro. No quiero decir con esto que estas emociones sean buenas o malas, correctas o incorrectas.

Sólo estamos evaluando las consecuencias. De hecho, *¿qué puede hacerse cuando te toma la rabia?* Puedes decirte cien veces: *"No debería enojarme"*, pero cuando el malhumor aparece, llega como una tromba. No puedes controlarlo. Todas tus nociones y tus promesas se desvanecen. No sirven, no se sostienen. Eres llevado por tu emoción. Las emociones son 20-30 veces más poderosas que los pensamientos y las promesas.

Entender este mecanismo abre tu corazón. En realidad, el enojo es un instrumento. Es esencial cuando eres capaz de controlarlo, cuando eres capaz de conocerlo y de cómo usarlo y de dónde y cómo aplicarlo. Esto requiere habilidad; es el arte de manejar tu propia fuerza. El *Conocimiento* y el enojo son interdependientes. El *Conocimiento* y el amor son interdependientes.

Este conocimiento te da la posibilidad de florecer en cualquier momento de la vida, en cualquier lugar. Puedes caminar por la playa y de repente te enamoras de todo el universo, del sol, de la luna, de las estrellas, del crepúsculo, de las olas en la playa y del viento en los árboles. Todo te parece vívido. Tan vívido, tu mismo te conviertes en eso en ese momento y esto y algo se sacude profundamente dentro de ti.

Simultáneamente tomas conciencia y florece el amor. Nuestra capacidad de amar depende de cuan profundos y abiertos seamos. En un estanque pequeño un guijarro causa grandes ondas. La capacidad de amar incrementa con el conocimiento y profundizando en nosotros mismos. Cuando la capacidad de amar es mayor, la habilidad para saber y entender también aumenta.

Solemos limitarnos cuando decimos, *"yo soy de este lugar, o esta cultura, soy de Oriente, soy de Occidente, soy de Medio Oriente"*. Al identificarnos con algo limitado, la capacidad de amar se vuelve limitada. La capacidad de conocer se vuelve limitada. Los niños suelen decir *"mi papá es mejor que tu papá"*, *"mi mamá es más buena que tu mamá"*, *"mi maestra es mejor que tu maestra"*. Los adultos hacen lo mismo cambiando de juguete u objeto. Los adultos dicen, *"mi país es mejor que el tuyo"*, *"mi cultura es mejor que la tuya"*. Esto es lo que ocurre hoy en el mundo, *¿no ves que es una locura?*

Un hindú dice que el hinduismo es grande porque él es hindú, no por lo que sea en sí mismo. Un cristiano dice que la Biblia es genial, porque él es cristiano. Los musulmanes dicen que el Corán es el libro más grandioso del mundo, porque ellos son musulmanes. Si un hindú dice: *"La Biblia es maravillosa"*, es más auténtico que si un cristiano dice la Biblia es maravillosa. Un japonés que dice: *"América es genial"*, tiene más valor que si lo dice un americano.

Pensamos que las cosas son geniales simplemente porque nosotros pertenecemos a ellas. Estamos atrapados en esa limitación. *¿Por qué no despertar y ver que todo lo que existe en este mundo, desde tiempos inmemoriales te pertenece?* "*Yo no soy sólo de América, no soy solo un alemán, ni solo indio o asiático o africano, me siento en casa en cualquier parte, en todas partes y con todo el mundo. Toda la riqueza de la humanidad me pertenece, sea el Gita, el Corán, la Biblia, el Sikismo o el Jainismo, toda esta riqueza es mía*".

Una persona madura diría que el mundo entero es parte de su riqueza. Madurez significa no limitar la riqueza que existe en el mundo y no dividirla. El que alcanza la madurez dice: "*Todos me pertenecen y yo les pertenezco a todos*". Eso es la iluminación. Toda la evolución del hombre comienza a partir de ser alguien. Ser alguien es el ego. "*Soy genial, soy muy evolucionado y tú no lo eres* ". Eso es tener ego. El reconocer la verdad de las dos etapas de la evolución te lleva de ser alguien a ser nadie y de ser nadie a ser todos.

Para una persona iluminada, todos somos una forma de Dios. Todos somos una forma de la Divinidad. Un iluminado, cuando dice algo no lo hace con actitud de, "*ustedes son todos ignorantes, yo soy muy iluminado y les voy a decir algo*". No. Él conoce la naturaleza y sabe que Dios provee este hermoso *Conocimiento*, solo que fluye de otra manera. Tiene lugar un intercambio. De hecho todo en la vida simplemente ocurre. Son solo sucesos.

El amor es el fruto, el motivo de la vida. Por ser el motivo de la vida es también el comienzo. Lo primero y lo último que uno quiere es lo mismo. De niños vinimos al mundo regocijándonos de amor. La naturaleza nos dio amor a través de nuestra madre. Una madre ama a sus hijos. Esto es así con cualquier animal de la creación. El amor es la primera semilla, porque al igual que en la semilla ya existe la fruta en potencia, la forma final de la semilla es nuevamente la fruta. El motivo final también es el amor. Todo lo que quieres del mundo y lo primero que te dieron y todo lo que eres, es amor. Del comienzo al fin, todo es amor. Sólo de vez en cuando y entre medio nos confundimos un poco porque aparece el ego, nos sentimos mal y hacemos que otros se sientan mal. Y todo eso, en nombre del amor.

El *Conocimiento* conduce al amor. Si tomas cualquier conocimiento científico y profundizas en él, el misterio también se profundiza. Alguien a quien le encantan las matemáticas o las ciencias profundizará mucho y se sentirá abrumado por la complejidad de la creación. Supongamos que amas la astronomía y haces cálculos sobre el universo; cuántos planetas hay, cuántos billones de estrellas hay, cuántos sistemas solares, qué es el tiempo, cuánto hace que existe todo esto. Estos conocimientos te sacuden, te anonadan y entonces, en ese momento, te asombras.

El asombro te trae amor, porque el amor es asombro. Es un misterio. El *Conocimiento* profundiza el misterio. Ese es el propósito del *Conocimiento*. Un biólogo que sabe sobre los átomos y moléculas de ADN, a medida que profundiza el tema queda pasmado y dice, *"¿Oh, cómo es posible esto? ¡Es increíble!"*. La maravilla te lleva al asombro y esto al amor. El amor es la cosa más asombrosa del mundo.

Cuando escuchas algún conocimiento y tu mente dice, *"Sí"*, eso quiere decir que ya lo sabías. Escuchar estos conocimientos no hace más que despertar eso que ya está dentro de ti. De hecho escuchar el *Conocimiento* no es ni siquiera necesario, podrías simplemente sentarte en silencio. Si es que puedes amar el silencio, si así fuese, el silencio es la mejor forma, pero si no estás acostumbrado a observar silencio, entonces es mejor que las cosas sean dichas.

Hemos sido educados en muchas disciplinas. Podemos saber cómo operar una compleja computadora, pero no sabemos cómo manejar la mismísima vida. Nunca se nos enseñó a vivir la vida. En cualquier parte del mundo, no solamente aquí, a nadie se le ha enseñado cómo vivir la vida. Ahora podemos comenzar a educar a la gente sobre su propia mente, su ego, y sobre quién en verdad son ellos y por qué están aquí. Esta es la sabiduría más importante y necesaria para esta nueva era.

———◆─✳◆●———

Capítulo V

Curación
con la conciencia

L o que nosotros vemos con el crecimiento humano es que primero llega el cuerpo y después se forma la mente. Sin embargo es el espíritu el que hace al cuerpo. Es el espíritu el que lo desarrolla, lo retiene y eventualmente se separa del cuerpo. El espíritu, el *Ser,* está primero. Esta fuerza de vida hace que sucedan todas las funciones en nuestro cuerpo. Es la que bombea la sangre, hace funcionar al cerebro y mantiene las células vivas. Toda la actividad en este organismo es dirigida por la energía vital.

La energía vital, la *Conciencia,* tiene un enorme potencial, un potencial infinito, para controlar y efectuar los cambios en el cuerpo. Es la *Conciencia,* es la mente la que siente la sensación de placer o de dolor. La mente es la que ve a través de los ojos y la que percibe los objetos en el mundo. Es la mente la que oye a través de los oídos y percibe los sonidos. Tu relación con el mundo se realiza a través de tu mente, de tu espíritu. Durante el sueño, la mente no está con el mundo, está consigo misma, se recoge. Nuevamente en actividad, la misma mente sale, se proyecta y experimenta placer o dolor en el mundo. Durante el sueño no sientes placer ni dolor. No experimentas ninguno de los dos. La mente se retrae, la conciencia vuelve a su cáscara. El proceso de creación toma lugar alternando actividad y regreso al Ser. Descanso y actividad. Este alternar entre descanso y actividad, función y receso se denomina vida. La totalidad de ambos se denomina vida. La vida no es simplemente actividad ni tampoco es sólo descanso. Es un alternar entre ambos.

La vida tiene una forma particular de curarse y desarrollarse. El potencial de la conciencia es asombroso. Esa conciencia que tiene tanto poder para mantener el equilibrio de toda la creación, la inteligencia que sabe cuan largo debe ser cada tallo, dónde ser verde y dónde ser amarillo. Una semilla germina y ya contiene toda la estructura de cómo se desarrollará la planta –*qué parte será dura, suave y qué contendrá en su interior.* Toda la estructura de una planta está presente en la semilla.

De la misma manera, el ADN en cada célula de nuestro cuerpo contiene el programa completo de nuestro Ser. Realizar un cambio a nivel de la semilla puede provocar un cambio en todo el tallo, o toda la flor o hasta en toda la planta, que significaría realizar un cambio a nivel de nuestro Ser, en el mismo núcleo de nuestra *Conciencia*. Debemos volver a la fuente, a la savia. Debemos volver a la semilla. Esa fuente es nuestra *Conciencia*, nuestra mente. A partir de allí hay un potencial infinito para controlar el cuerpo, su resistencia, su poder, todo.

El año pasado estuve con una doctora en Alemania que sufría un tipo de cáncer de rápida ramificación. Tenía un tumor en el cerebro con metástasis en todo el cuerpo. Los médicos le dieron como máximo tres meses de vida. Ella se enteró de que yo estaba en Heidelberg y vino a verme. La trajo su esposo. Ya tenía todo preparado para su partida, su testamento y esas cosas. Era una cirujana de sólo 40 años de edad. Fue traída en una camilla y llevada a donde yo estaba dando un seminario de dos días. Le dije que podía permanecer recostada y estar ahí. Mientras estuvo allí se sintió mejor.

Un mes más tarde hubo otro seminario de cuatro días en Italia y ella también viajó para estar en ese curso. Más adelante, vino a un programa de diez días a India. Han pasado ya tres años desde la primera vez que vino. Se suponía que no viviría más de tres meses pero los médicos descubrieron que su cáncer había desaparecido por completo. Perdió algo de peso, pero fuera de eso está muy saludable y muy feliz.

Condujo desde Alemania a París para verme el pasado mes de octubre cuando estuve allí y entonces aproveché para preguntarle qué pensaba que científicamente le había ayudado a superar el cáncer. Ella dijo: *"Para poder entender esto lo podría explicar diciendo que cada célula de nuestro cuerpo está rodeada de una capa de Conciencia, una nube de energía. Cuando esta nube de energía o Conciencia está vital, feliz, pura y libre de estrés, puede penetrar en las células del ADN, limpiarlas y revitalizarlas"*. Además agregó *"esto es lo que puede haberme sucedido con las prácticas de respiración, el Sudarshan Kriya y la meditación durante diez o quince días seguidos durante un tiempo. Es la única explicación posible que puedo hallar, las células no existen por sí solas, existen y viven por medio de la Conciencia, de la mente, del Ser que es la base de la Creación"*.

Ha habido muchos casos similares en los que he visto que la práctica del *Sudarshan Kriya* o la meditación profunda han ayudado a muchos a sobreponerse a problemas similares. El año pasado, un doctor en Los Ángeles, EE.UU., dijo que el suministro de oxígeno puede destruir los virus en un organismo. Normalmente sólo utilizamos el 30% de nuestra capacidad pulmonar. La práctica de los pranayamas incrementa esta capacidad y el *Sudarshan Kriya* inunda al organismo con oxígeno. El noventa por ciento de las impurezas del organismo se eliminan por medio de la respiración, por lo tanto, el incremento de respiraciones profundas ayuda a eliminar impurezas en el organismo. Todas estas prácticas y la *Gracia de Dios* pueden eliminar la raíz de la causa de las enfermedades.

Hay otra forma de mirar las enfermedades terminales como el SIDA y el cáncer. Cuando a alguien se le dice que tiene una enfermedad terminal, ellos piensan que su vida será corta. Sobreponerse al miedo es un factor muy importante. Es lo principal. El miedo puede perturbar todo el organismo, más que fortalecerlo.

Si se fijan la situación en los países del tercer mundo, mucha gente vive en lugares donde la supervivencia es insegura. Se vive pendiente de que haya una inundación en cualquier momento que barra con familias enteras. Dondequiera que vivas, la única cosa segura en la vida es que todos algún día moriremos. *¿Hay acaso alguien que no muera?*

Unas personas en Montreal, me preguntaron qué debían decirle a la gente con SIDA. Les contesté que no tenían que compadecerse de ellos. No hay que tenerles pena. En general se piensa que las personas que sufren de SIDA necesitan compasión, que es preciso que sintamos lástima por ellos. Yo les dije: *"No lo lamenten. Todos moriremos un día"*. Lo mejor que pueden hacer es decirles: *"Ok, resérvame un lugar, llegaré algo des-*

pués". De todas maneras tú también morirás, yo me voy a morir. Los pacientes se mueren y el médico también se muere. Este es un lugar donde todos mueren. La muerte es algo cierto y verdadero para todos.

La forma de morir es muy importante. Si mueres con una sonrisa o pasas el tiempo quejándote y sintiéndote triste es importante. Nadie sabe cuándo morirá. Podrías sufrir un accidente o sucumbir en un terremoto. No sólo la gente enferma se muere, los sanos también se mueren. La enfermedad no tiene nada que ver con la muerte. Muchas veces la gente enferma prolonga su vida por mucho tiempo y a menudo la gente sana muere más rápido.

La verdadera causa del miedo podría eliminarse simplemente a través del entendimiento y la observación. La salud puede recobrarse prestando atención a la fuente de la mente, la *Conciencia,* porque la *Conciencia* pura es amor puro. Y el amor es el mayor curador del planeta, es el máximo poder.

Pregunta: Usted dijo que cuando hay amor, no existe el miedo, y que cuando hay miedo, no hay amor. ¿Cómo se sobrepone uno al miedo?

Primero con la observación. Observa el miedo. *¿Qué ocurre cuando aparece el miedo?* Aparece una sensación en el pecho. Obsérvala, observa esa sensación profundamente. Cada emoción en la mente crea una sensación correspondiente en el cuerpo. Cuando observas esa sensación, la emoción se transforma en una sensación en el cuerpo y ésta desaparece. *¿Entiendes?* Esta observación es una técnica de meditación. Observas la sensación y la sensación se va y la mente se libera.

Si la observación se hace difícil, entonces trata de tener un sentimiento de pertenencia. Yo le pertenezco a Dios, o Dios está cuidando de mí. O mi instructor, mi Maestro, a quien le pertenezcas, me cuida. La divinidad me está cuidando. Por medio del sentido de pertenencia, el miedo se va. Perteneces a alguien. Perteneces a Dios. Perteneces al Maestro. Perteneces a este mundo o a algún poder. Con este sentido de pertenencia, el miedo se va. Esto puede resultarte más fácil, más simple.

Si esto no es posible, fíjate en la temporalidad de todo. Todo cambia rápidamente a tu alrededor. Aún queriendo no puedes aferrarte a nada. Las cosas van y vienen. La gente va y viene. Sus estados de ánimo cambian, sus emociones cambian. El modo de comportarse contigo cambia. Todo cambia. Fíjate en la inconstancia de todo lo que te rodea. Todo el mundo está cambiando. Entonces también recobras fuerza y el miedo desaparece. Miedo es depender de algo, aferrarse a algo, no dejar ir. Y no hay nada en esta vida a lo que te puedas aferrar. *¿Existe algo a lo que te puedas* *aferrar?* Algunos días tendrás que despedirte de todo. Completamente de todo, tendrás que despedirte incluso de tu propio cuerpo.

Tomar conciencia de esto también te da una fuerza enorme interior y entonces serás capaz de reír. Todos vinimos a este mundo llorando. En el mismo momento en que naciste comenzaste a llorar. De no haberlo hecho, te habrían hecho llorar. Tus padres o el doctor te habrían dado unos golpecitos en la espalda para hacerte llorar. Y si no hubieras llorado, ellos habrían comenzado a llorar. Todos vinimos a este mundo llorando.

Estando más conscientes en la vida y riendo con frecuencia, pasamos por esta vida. Eso es crecimiento, el florecimiento de nuestra personalidad. *¿Lo ven?* Florecimiento. Hay gente muy, muy anciana. Lo interesante es que ellos tampoco creen que morirán en cualquier momento, *¿lo notaron?* Si le preguntases a alguno: *¿Estás listo para morir hoy?* Te dirían que no.

La calidad de nuestra vida, la intensidad con que vivamos cada momento, la percepción y la naturaleza de la vida tienen muchísimo que ver con nuestra capacidad de curarnos. Esa energía vital tiene efecto sanador en el cuerpo. Cuando la mente está libre de miedos, más clara, puede curar tu organismo de cualquier enfermedad.

La mente tiene un inmenso poder. Puede haber 20 grados bajo cero en el exterior y no importa, puedes salir a pasear. Puedes caminar descalzo. No te puede ocurrir nada malo. Yo estuve en Calgary justo antes de venir aquí y había 20 grados bajo cero, la gente me decía: *"No salgas así, tienes que abrigarte, necesitas calzado, debes hacer esto o lo otro, no salgas".* Yo no contesté. Fuimos todos a un lago congelado cerca de allí y fue muy agradable, muy hermoso. Tu mente, tu *Conciencia* es muy poderosa. Sin duda el cuerpo tiene sus limitaciones. A pesar de que esto pueda ser posible no traten mañana de caminar sobre el fuego diciendo, *"no pasará nada".*

Una de las técnicas por las que abogo y enseño en todas partes es el *Sudarshan Kriya*. *"Sudarshan"* significa la correcta visión de quien soy. *"Kriya"* significa acción purificadora. En la primera práctica de tan solo una hora puedes ver cómo la energía, la mente y el oxígeno penetran profundamente en cada célula de tu organismo y te limpian. Cada célula de tu cuerpo es limpiada, energizada y más oxigenada.

La glándula pituitaria tiene una conexión con el hipotálamo que es el asiento de la *Conciencia,* tu mente. Aún hoy, los científicos no saben cuál es la verdadera función del hipotálamo, pero éste está conectado a la glándula pituitaria, que es la que comanda todo el cuerpo. Sobre esto ya se escribió hace miles de años. Esos

SRI SRI RAVI SHANKAR

sabios no sabían nada sobre la glándula pituitaria pero ellos decían, que *"aquí, en esta parte del cuerpo hay un centro donde un pequeño foco puede afectar a todo el sistema nervioso de forma muy positiva."* La Conciencia actúa a través de esta glándula limpiando y suministrando energía al sistema inmunológico y fortaleciéndolo. En sánscrito, salud se dice *"swasta"*. *"Swasta"* significa salud y al mismo tiempo significa estar en equilibrio consigo mismo. Salud significa estar centrado. La sola palabra indica que tu mente está enfocada, centrada, libre de perturbaciones y sólida. Es decir saludable.

Frecuentemente intentamos tener pensamientos positivos. Esto no es cien por cien efectivo. Tiene algún efecto positivo pero no absoluto. *¿Por qué?* Porque tu mente pensante consciente es sólo la décima parte del total de la mente. Muchas veces, los pensamientos positivos que fuerzas en tu mente empujan a los pensamientos negativos más profundamente. El pensamiento positivo puede ser también causa de depresión. Piensas positivo pero dentro de ti sabes que hay algo negativo. Cuanto más fuerces ese pensamiento positivo más profundizarás el pensamiento negativo hacia tu interior.

¿Cómo aparece un pensamiento negativo? Observa la fuente del pensamiento negativo. Los pensamientos negativos vienen a causa de tensión y estrés. La violencia aparece debido al estrés y a la tensión. La depresión tam-

bién viene a causa del estrés y la tensión. Una persona relajada y feliz no tendrá pensamientos negativos. Cuanto más angustiado se está, más sentimientos negativos aparecen. En lugar de enfrentar a la mente con un pensamiento positivo, profundiza en tu interior con la respiración y la meditación y limpia tu organismo. Ve a la raíz, elimina la causa, la propia raíz de la negatividad. No te llevará mucho tiempo. Especialmente con el *Sudarshan Kriya* es inmediato. En sólo dos días de práctica, de unas horas cada día, limpiarás el cuerpo y te sentirás muy liviano.

Pregunta: ¿Cómo se cultiva el sentido de pertenencia?

No puede cultivarse. Si dejas de lado el estrés y los miedos esto viene automáticamente. Ya perteneces a toda la existencia, no estás separado. Respiras. El aire que inhalas sale y entra en otra persona y después en otra más. Este aire viaja alrededor del mundo. El mismo aire, la misma respiración. El agua que corre por tu cuerpo, se evapora y sale como vapor a través de tu respiración y se esparce. Es igual con la mente. La mente no está en un solo lugar. La mente es un campo, como un campo electromagnético que está presente en todas partes.

La vida es un campo. Todos estamos inmersos en un océano de vida. La vida no está solo aquí y allá. Entre tú yo hay un espacio lleno de vida. La vida está en todas partes. Los cuerpos son nada más que conchas flotando en el océano. Estamos flotando en la vida, llenos de vida en todas partes. Cuando esto se hace firme en tu mente, el *"mío, mío, yo, yo, yo"* desaparece, se disuelve. Te vuelves natural, como un niño. ¿*Ves*? Tan total, tan pleno, sonríes desde lo más profundo.

Otro tema es la angustia por la separación. Alguien te agrada, lo amas y luego una pequeñez te hace una gran cicatriz. Te crea tanta angustia y dolor. Cómo lidiar con la angustia y el dolor es un uno de los mayores problemas de hoy en día. Hace dos días alguien me dijo: *"Me acabo de separar de mi novio y siento tanta angustia que no lo puedo soportar"*. No puedes vivir con esa persona ni soportar estar alejado de ella. Esto es angustia. Esto crea una cicatriz, un vacío. La mente siente que no lo puede tolerar.

Este es el fuego que te moldea y que te hará salir de la angustia. En este momento un poco de *Conocimiento*, un poco de sabiduría puede sacarte de la situación. Cuando hay angustia, no sirven los consejos de nadie. Nada funciona. Sólo quieres sentarte y meditar, pero ni siquiera eso te ayuda. ¿*Qué hacer entonces*? Necesitas un lugar o un grupo, una situación, donde haya amor y apoyo. O necesitas la presencia o la conexión o comunicación con alguien que esté muy centrado, muy lleno de amor. Entonces se te va la angustia. No lleva mucho tiempo. Solo alguien que pueda quitarte ese peso de encima. Por eso Jesús dijo: *"Yo soy el camino"*.

En tiempos de Jesús se vivía mucha angustia a causa de la esclavitud, los problemas en Medio Oriente y en Jerusalén. Ninguna otra práctica les habría servido. Jesús sencillamente les dijo: *"Yo soy el camino. Vengan a mí"*. Con su amor, Él los pudo sacar de ese estado. Es lo mismo que dijo Buda. Buda dijo: *"Primero vengan a mí. Yo no hago nada. Simplemente en mi presencia o mediante la conexión o la comunicación conmigo, podrán deshacerse de esa angustia que hay en ustedes"*.

No te dicen que vayas a ellos para que tú le des algo, ni a Jesús, ni a Buda, ni a ningún otro Maestro iluminado. Los Maestros no necesitan ningún favor tuyo. Ellos simplemente te sacan toda esa angustia y basura mental de la cual no te puedes deshacer. Todos los Maestros iluminados en este planeta son recolectores de basura. No hacen más que recolectar desperdicios. No hay nada en este mundo que puedas llevarte contigo, excepto los desperdicios. Con el sentido de pertenencia, entrega o adoración, tu mente puede dejar todas estas cargas pesadas e innecesarias.

Atesora el sentimiento *"mi mamá está en casa"*. Es una opción alternativa. Primero, simplemente observa la sensación que atraviesas, soporta tu propia cruz. Si no puedes hacerlo, entonces pertenece a algo, haz práctica, si tampoco puedes hacer esto, entonces siente que le perteneces a alguien, ve a algún Maestro, a alguien que esté tan centrado que pueda ayudarte a liberarte de esta basura mental y con la sola luz y amor del Maestro podrás aliviarte. Estas son las tres opciones principales. Se puede elegir cualquiera de ellas.

Pregunta: ¿El Maestro tiene que estar presente físicamente en el momento de esa ayuda?

Eso depende de cuan capaz seas para sentirte conectado. La presencia física es muy importante al comienzo.

Pregunta: La meditación ¿nos ayuda a desarrollar el sentimiento de entrega?

¿Qué significa entrega? Es simplemente tu amor. Con la meditación, se eliminan el estrés y las tensiones y te vuelves más amable. *¿Cuál es tu capacidad de amar? ¿Qué cosas pequeñas te perturban?* La magnitud de nuestro corazón se mide por lo que puede perturbarnos. Si eres pequeño como un estanque, una piedrita puede causar gran turbulencia. Si eres como un lago necesitará de una piedra más grande. Si eres tan vasto como un océano, nada podrá perturbarlo. Las montañas caen en el océano y éste permanece tal como está. Ni una pulgada de agua se levanta.

El amor está más allá de las definiciones. Podemos decir que es tu *Ser* natural cuando te sientes libre de tensiones, cuando te sientes en casa. No hay forma de decir qué es el amor que no sea a través de tu Ser. El amor no es simplemente una emoción, es tu existencia, es de lo que estás hecho. Para saber esto, debes dejar de lado todas las tensiones y sentirte realmente libre.

Pregunta: He utilizado técnicas para observar sensaciones en el cuerpo cuando tenía dolores de cabeza o alguna contractura en el cuello, pero las sensaciones son como síntomas. ¿Qué ocurre cuando contraes una enfermedad como el virus de HIV, que está por mucho tiempo latente, escondido sin demostrar ningún síntoma? ¿Puede uno cuidarse para protegerse? ¿Hay alguna forma especial de actuar para prevenir la enfermedad?

Cuando comienzas a observar, a meditar y a poner más atención en la *Conciencia,* en la mente como *Conciencia* pura, seguro se elevará el sistema inmunológico y podrás destruir todas las células enfermas. Tienes que practicar regularmente por períodos largos con plena fe, amor y devoción; es absolutamente posible.

Cuidado con esos pensamientos que te surgen y dices, *"Oh, soy positivo al SIDA",* eso es simplemente una expresión que has oído decir al medico que estudió los análisis. *¿Te das cuenta?* Cuanto más empieces a creer en sus palabras, aparecerá, lo estarás confirmando en tu propio organismo, en lugar de poner la atención en este hermoso *Conocimiento* sobre quiénes somos, la naturaleza de tu *Conciencia* y su poder sobre el cuerpo. Pon la atención en la salud, más que en la enfermedad.

Ya les conté de la doctora que tenía un tumor cerebral. Los médicos no podían creer que ella se hubiera curado. Ahora está muy bien. La forma como está hecha la vida es muy secreta. Nadie sabe cómo suceden las cosas en realidad. Porque es así que solo las células de los ojos pueden ver la luz, *¿por qué no la ven las células de la cabeza?, ¿O por qué no las de las orejas?* Nadie lo sabe. Sólo determinadas células en los oídos pueden captar el sonido. Esta creación está llena de secretos y tiene un mayor secreto. Un secreto infinito.

La ciencia nos da una falsa idea de que sabemos. Yo no estoy para nada en contra de la ciencia, pero a través de la ciencia sólo se obtienen conocimientos parciales. Si le preguntas a un médico altamente calificado te dirá, *"no sabemos cómo funcionan las cosas en el cuerpo o cómo han sido hechas para que funcionen"*. La ciencia, la medicina, no saben cómo funciona nuestra mente. Ni siquiera sabemos cómo es que el cuerpo encierra en sí mismo esa capacidad sanadora. Todos hemos sido educados mitad en ciencia y mitad en *Conocimiento*, por lo que creemos más en los medicamentos. Creemos más en estos diferentes sistemas. Y creemos más en la realidad del cuerpo que en la de la mente.

Siempre debemos tener presente que la *Creación* está llena de secretos. Los secretos se pueden revelar en cualquier momento. Hace veinte años nadie había oído hablar del SIDA. En la *Creación* hay un descubrimiento tras otro. Uno puede únicamente asombrarse por todo este fenómeno y saber que todo ocurre desde el nivel de la *Conciencia*, desde el nivel de la mente. La presencia de la *Conciencia*, su sentido sagrado y su secreto. Saber esto, es lo que trae alegría en la vida.

En la India se llama *"sat-chit-ananda"*, tres cosas. *Verdad, Conciencia y Dicha.* Esta es nuestra naturaleza. Tú estás aquí. Eso es verdad. *¿Estás consciente?, ¿Estás alerta?* Estas dos cualidades, verdad y conciencia, ya sabes que las tienes. La otra es dicha. Tú eres dicha. Si sabes estas dos cosas, si estas dos verdades están bien consolidadas en la profundidad de ti mismo, sabrás que eres dichoso.

Pregunta: ¿Qué nos puede decir sobre las prácticas de visualización, como por ejemplo luz en el cuerpo o visualizar la destrucción de una enfermedad? ¿Cuál es su opinión acerca de este tipo de prácticas?

No. Estos procesos no tienen ningún significado de

importancia. Es como decorar un pastel. Podrás decorar un pastel de vez en cuando, pero necesitas el pastel, una sustancia para poder decorar. Si no tienes la torta, quererla decorar no servirá de nada.

Pregunta: Cuando comenzamos a aprender a amar y a curarnos unos a otros, a nosotros mismos ¿No aparece también la responsabilidad de demostrarlo a los demás?

Amar no es ver a *"otro"*. Cuando creces en el amor, el *"otro"* se transforma en parte tuya. Entonces no sientes que estás haciendo un favor. Haces lo que sea a partir del amor. Cuando te veo a ti como parte mía, ni siquiera se me ocurre pensar que estoy haciéndote un favor. Cualquier cosa que te haga a ti me la estoy haciendo a mí mismo. Soy yo. Es a mí a quien se lo estoy haciendo porque ambos somos uno.

Capítulo VI

Valores humanos en las aulas

(Una charla a los maestros)

La docencia es una de las mejores profesiones. Es también una gran responsabilidad. Como maestros deben dar el ejemplo pues los niños los observan cuidadosamente. Los niños aprenden de sus padres la mitad de los valores, el resto lo aprenden de los maestros. Los niños observan mucho más que los adultos. Observan todo lo que ustedes hacen y aprenden de ello. Cuando ustedes están tranquilos y centrados, ellos lo notan; si en cambio ustedes están tensos o no sonríen, no sólo los observan, también los imitan. Deberán haber notado cómo los niños imitan a sus madres. Si la madre pone cara seria, ellos ponen gesto serio. Si sus madres sonríen, ellos empiezan a sonreír. La conducta de los niños depende en gran medida de los padres y también de los maestros.

Puede ser que los padres tengan que manejar uno o dos niños solamente, mientras que los maestros tienen en la clase un par de docenas. La situación los pone a prueba constantemente y es más estresante. Para manejar esta situación necesitan centrarse todos los días un par de veces. Justo después de almorzar, siéntense, cálmense y tengan profunda confianza de que todo está siendo o estará controlado.

Ustedes son capaces de manejar la tarea que les ha sido asignada. Antes que nada tengan fe en ustedes mismos. Si piensan que tienen un enorme trabajo que no pueden manejar, no serán capaces de hacerlo. Tienen que saber que el trabajo que tienen es apropiado para ustedes y que lo harán lo mejor posible. Se necesita mucha paciencia. Sería bueno que se sienten y se relajen o estar simplemente en contacto con la naturaleza un ratito cada día. Comiencen a meditar frecuentemente para aumentar su energía. Algunas respiraciones profundas de vez en cuando también ayudan.

Los valores humanos básicos deben ser alentados en clase. Los niños nacen con estos valores, los maestros solo deben avivarlos. Los niños llevan ya esos valores consigo. *¿Qué son los valores humanos?* Compasión, cooperación, amistad, sonrisa, risa, ser liviano, tener deseos de ayudar, el sentido de pertenencia, cuidarse unos a los otros. En los niños están presentes todas estas cualidades, solo necesitan ser nutridas y avivadas. A menudo los maestros deben desprogramar algunos comportamientos que los niños aprenden en sus hogares. A veces, los niños comienzan a cambiar esta programación en la misma escuela. Es importante ver esto.

Los maestros necesitan saber que la psicología o la naturaleza humana son muy parecidas a la estructura atómica. Al igual que en un átomo, la parte central es positiva, un protón. Los electrones, o la carga negativa, están en la periferia. Cualquier negatividad que encuentren en un niño está solamente en la periferia. La negatividad no es la verdadera naturaleza de un niño. Con amorosa atención y cuidado pueden hacer brotar sus valores humanos positivos.

Esto es verdad hasta para un niño rebelde. Un niño rebelde necesita más contacto físico. En cierto modo, un niño rebelde necesita más aliento, más palmaditas en la espalda. Háganles saber que son queridos, que les pertenecen, que realmente se preocupan por ellos. Por el contrario, a los que son muy tímidos les viene mejor un poco de firmeza para ayudarles a levantarse y defenderse. Pueden ser algo enérgicos con ellos, pero el modo en que el maestro les trata es muy delicado. Lo mejor sería con amor y al mismo tiempo con algo de firmeza.

A menudo la gente actúa de manera opuesta. Somos estrictos con el rebelde y mimamos más al tímido. De esta forma todos continúan siendo como son porque están acostumbrados a ser tratados de esa manera. El niño tímido es mimado en demasía, por eso necesita algo de rigor o firmeza, mientras que el niño rebelde necesita de una mano más suave.

Involucrar a los niños en juegos activos es muy útil. Los niños inquietos especialmente necesitan mucho ejercicio. En la medicina ayurvédica hay tres tipos de personalidades. El primer tipo se denomina *vata*. Los niños tipo vata tienden a ser delgados y muy inquietos. Son rápidos en el aprendizaje y también se olvidan fácilmente. Necesitan mucho ejercicio para reducir las tendencias *vata*.

El segundo tipo se llama *pitta*. Los niños de este tipo son de contextura mediana, constantes y astutos, recuerdan todo bien, pero tienen mucho temperamento.

El tercer tipo, los niños *kapha*, tienden a tener cuerpos voluminosos, son lentos en el aprendizaje, pero no se olvidan de lo que aprenden. Cada uno de estos tipos necesita una forma diferente de atención. Generalmente, si observan la estructura física, notaran cuál es su tipo.

La alimentación tiene un papel muy importante en el desarrollo del niño. A menudo los niños ingieren alimentos pesados, difíciles de digerir y cuando vienen a sentarse a clase, su atención y capacidad de retención son muy limitadas. Su atención no está en la clase y no son capaces de retener lo que aprenden. Al diseñar los horarios de clases, es mucho mejor no dar temas como historia durante el turno de tarde, inmediatamente después del almuerzo. Después del almuerzo, les vendría mejor hacer algún tipo de trabajo durante el cual no tengan que estar concentrados. Luego de una gran comida, la capacidad de atención baja y si se les pide estar sentados y concentrarse, probablemente se queden dormidos. Si en cambio se les da una clase de manualidades inmediatamente después de almorzar, estarán ocupados haciendo algo y no se dormirán. Materias como matemáticas y ciencias, que requieren total atención, deberían darse durante la mañana antes del almuerzo. También sería conveniente que avisen de esto a los padres, para que les den un desayuno más liviano por la mañana.

La educación infantil debería ser holística, no simplemente un proceso que llene la cabeza de información. El hecho de venir a clases y aprender un par de lecciones no educa a un niño. Debemos entender la necesidad de un desarrollo completo porque el cuerpo y la mente están vinculados. El cuerpo y la mente están tan vinculados que todo lo que ponemos en el cuerpo se refleja en la mente y lo que está en la mente se refleja en el cuerpo. La violencia en la mente se refleja en el cuerpo y en sus acciones. Los valores humanos deben ser inculcados por el bien de la mente y el cuerpo. Estos son los principios básicos sobre los que comenzar a construir la idea de los valores humanos.

Recientemente me alegró mucho enterarme que en Canadá hay un premio que se entrega a los niños en las escuelas por ser amables. Esto es muy lindo. El niño más amable de la clase, el que hace más amigos, recibe un premio. Yo creo que es el primer país en instituir tal premio. Y sería un excelente programa para las escuelas de todo el mundo. De esta forma se alienta a que los niños sean amistosos con todos los compañeros de la clase. Generalmente, cuando pregunto a los niños cuántos amigos tienen en clase, contestan que solo 4, 5, 3 ó 2. Entonces les digo que hagan un nuevo amigo cada día.

Por lo general los niños tienen un lugar y se sientan allí todos los días. Creo que esto no es bueno porque se sientan en el mismo lugar y se aferran mucho a él. Cuando algún compañero llega y se sienta en ese lugar, pelean por él. Ven su asiento en términos de *"mi lugar"* y no creen que todos los asientos de la clase les pertenecen, solamente les pertenece su propia silla y se ponen muy posesivos al respecto.

Pueden decirles que se sienten en un lugar diferente cada día y con distintos compañeros a su lado. Los niños más pequeños ya lo hacen. Los maestros, por su propia conveniencia, son responsables de haberles disciplinado para que se sienten en el mismo lugar, sin darse cuenta que de esta forma, los niños pierden el sentido de pertenencia con toda la clase, con todos los demás niños y con todos los lugares. Esto complica las cosas a los maestros porque les impide saber quién está dónde y qué es lo que hacen, pero para el crecimiento de los niños es mucho mejor hacerles sentar en diferentes lugares cada día y con diferentes compañeros.

También es bueno ubicar al mejor alumno con el menos inteligente de la clase. Pídanle que ayude a ese niño. Por lo general los niños inteligentes de una clase forman un bloque y los menos listos forman otro. Esto no es saludable para el ambiente de crecimiento de la clase. Una vez que los más inteligentes comienzan a relacionarse con el grupo menos inteligente, estos desarrollan inmediatamente un sentimiento de pertenencia fuera de sus amigos habituales y un mayor sentimiento de amor y de cuidado por los demás. Díganles: *"Tienes que cuidar de este niño"*. Al de mejor nivel se le pedirá que se ocupe de los últimos de la clase, que esté con ellos, que los ayude. Esto realmente ayudará a crear un lazo de valores humanos.

Otra cosa a desarrollar es el compartir. Hay muchas maneras de hacerlo. Nosotros hacemos en todo el mundo un programa llamado *Arte Para Ser Excelente,* en inglés *Art Excel* (Entrenamiento integral para la excelencia), que incluye todos estos principios. En este curso de 5 días, generalmente impartido durante las vacaciones de verano, les damos a los niños procesos y ejercicios para que refuercen sus valores y fortalezcan el sentido del *Ser.* Los educamos en la no-violencia.

Este programa marca una gran diferencia en ellos. Cuando finalizan ya no son los mismos. Si ven a un niño que haya atravesado los 3 o 4 semanas de entrenamiento en *Arte Para Ser Excelente,* verán cuán sonrientes están. Por supuesto, algunos padres tienen a veces problemas con esto y dicen que después del curso no les importa que ellos les regañen. Después de los cursos, cuando los padres se enojan con ellos, reciben a cambio sonrisas y saludos. Entonces los padres no pueden quedarse serios por mucho tiempo más y empiezan a reír con ellos.

Por ejemplo, supongan que a alguien lo insultan. *¿Qué ocurre por lo general?* En muchos grupos grandes de niños, uno dice algo para herir o insultar a otro. No se puede esperar que en una clase los chicos se lleven bien todo el tiempo. Ni siquiera los adultos lo hacen. Lo que nosotros decimos es, *"si alguien te insulta, simplemente sonríe".* Les enseñamos a sonreír. *"Si alguien dice, 'eres un tonto', está bien, ¿qué haces?, Probablemente tengas ganas de llorar. En cambio, sonríe".* Cuando logran hacer eso, salen de la programación de la mente a tener esta reacción.

Otra técnica que enseñamos es saludar a quien nos ha insultado. Enseguida, la persona que ha insultado siente un cambio. *"Alguien me saluda cuando yo lo insulté"*. En lugar de enloquecernos, enojados y gritarle a la persona que nos insulta, la saludamos. Esto crea un sentimiento de no-violencia. Con niños, esto provoca un gran cambio. Crece en ellos un sentimiento de no-violencia. La raíz de la violencia se elimina justo ahí.

Cuando yo iba a la escuela en la India, cualquiera que hablara de armas debía sentirse avergonzado. Todos los demás lo acusaban, *"dijo arma"*. Hoy esa vergüenza por las armas se ha perdido. Lo mismo ocurría si alguien gritaba o perdía los estribos en clase, todos le miraban.

Esa gran reacción era tan anormal que la persona que lo había hecho se sentía avergonzada. Era automático. Hoy esos valores se han perdido. Lo mismo vale para los maestros. Un maestro que miraba a su alumno con severidad era algo muy poco frecuente, tanto respeto había, tanto amor, el amor por el estudiante, la conexión entre el alumno y el maestro. Existía la tradición que todos los días o una vez por semana, había que llevarle algo al maestro, una flor, una fruta o algo dulce hecho en casa. Cada clase tenía una mesa que estaba llena de esas flores. Creo que muchas culturas lo han hecho.

Estos valores, estas costumbres, no existen más. Para hacerlos retornar, debemos educar a los niños en programas fuera de la escuela. Hacer que los maestros reimplanten estas tradiciones como nuevas normas, no funcionará. Alguien más deberá enseñar a los padres y a los niños en cómo respetar más a los maestros. Una de esas formas es el campamento de verano. Cuando alguien más se ocupa de ellos en el campamento de verano, se les pueden enseñar nuevos valores. Les debemos enseñar lo bueno que es tener un sentido de pertenencia con un adulto, con el padre, un amigo, tener un sentido de sentimiento personal y conexión con su maestro.

Los estudiantes solían estar orgullosos de sus maestros. Ese sentido de pertenencia con ellos y la relación maestro-alumno debería restablecerse. Si esto no fuera importante, podrían estudiar la lección de una computadora, sin necesidad de la presencia humana. *¿Por qué necesitamos un ser humano como maestro en la clase, si los chicos pueden apretar cualquier tecla y conseguir la información que necesiten de donde sea?* La presencia del maestro sirve para dar el toque de humanidad. Esto es lo que precisamos conservar y desarrollar en la clase y ver de qué manera avanzamos para aumentar este toque de humanidad, esta conexión.

Pregunta: Yo trabajo en turnos rotativos y veo al mismo grupo de alumnos solamente durante una hora una vez por semana. Es difícil establecer una conexión debido al lapso que transcurre entre clase y clase y a la corta duración de la misma.

No se trata de la cantidad de tiempo, es una cuestión de calidad lo que importa. A veces me veo con mis discípulos tal vez 2 veces en todo el año, y eso es suficiente. La calidad de tiempo dedicado. No importa de cuánto tiempo disponga, trate de establecer una conexión personal con ellos. Déle a cada uno algún trabajo o ejercicio para hacer y véalo la vez siguiente. Como maestros deberán marcarles los errores que cometen, pero sin hacer que se sientan culpables. Esto es una habilidad. Si les hacen sentirse culpables, se transformarán en vuestros enemigos. O al menos lo pensarán. Pero al mismo tiempo ustedes deben hacerles notar sus errores. Es realmente una gran habilidad. Hacerles ver el error y al mismo tiempo impedir que se sientan culpables; eso crea sentido de pertenencia. Cuando ya tienen este sentimiento pueden decirles lo que sea sin crear sentido de culpa en ellos. En cambio sentirán amor.

¿Por qué marcar un error a alguien? Porque lo quieren. A un extraño por la calle no le demuestran los errores que comete. Uno no se preocupa mucho por alguien por quien no siente amor y no le marca sus errores. Si

desean señalar los errores es porque sienten algo por ellos, porque desean ayudarlos. Si los niños no lo comprenden, deberán decírselo de forma tal que lo entiendan y no se sientan culpables.

Pregunta: ¿Qué cualidad humana debería un maestro inculcar para que se cree mejor ambiente en el aula?

La pertenencia, una sonrisa, pero no esperen una situación ideal. Puede que no sea posible todos los días.

Pregunta: ¿Que es lo principal que debemos inculcar a los alumnos para motivarles?

Deben alentarlos a tener sueños y fantasías. Cuéntenles historias que los inspiren. Denles ideales por los que luchar y valores morales para vivir. Cuando tienen frente a ellos un ideal, tienen un modelo. Esto tiene una ventaja y una desventaja. A veces, cuando una persona idealiza a alguien, piensa que nunca podrá alcanzar ese nivel de realización. Piensan que es muy difícil o creen no tener las mismas habilidades. Eso termina convirtiéndose en una excusa para dejar de trabajar en pos de ese ideal.

La veneración (adoración) ayuda a sobreponerse a esto. En este sentido, venerar significa idealizar con un sentimiento de gratitud. Venerar expresa gratitud. Es una cualidad maravillosa que enriquece y muestra mayor y más amplia conciencia.

La idealización simplemente puede sacarlos de la realidad, pero no tener ideales les puede deprimir y dejarlos dando pasos en la oscuridad. Hoy en día, los niños en las escuelas y los estudiantes universitarios se deprimen porque no tienen ideales, no tienen modelos a los que valga la pena seguir. Si no pueden identificarse con un ideal, no pueden seguir adelante. No ven en sus padres ni en otros mayores cualidades que valga la pena idealizar. Así como un río necesita un curso para fluir, la vida necesita indicaciones para ser recorrida.

Los niños y adultos jóvenes buscan a alguien para idealizar, por lo general celebridades, estrellas de rock, de cine, de básquet, etc. Encuentran sus modelos en la TV. A menos que tengas un ideal para imitar, la vida no parece avanzar. Es natural que la gente busque esto. Y en esto hay ventajas y desventajas.

Los maestros pueden ser un ejemplo claro para sus alumnos. Lo que no quiere decir que los maestros busquen alumnos para que los idealicen. Alguien digno de ser admirado no está preocupado por saber si los demás lo idealizan o no. Todos deben notar que ustedes no sólo enseñan los valores humanos sino que también los viven. Es inevitable que alguna vez alguno de ustedes sea idealizado, pero es mucho mejor para los niños tener un modelo, una meta, porque eso hará que nazca en ellos la cualidad de la admiración.

Veneración significa que sientes algo dentro de ti. Y ese profundo sentimiento de gratitud, amor, confianza y fe quiere expresarse en lo exterior. Es bueno expresar la gratitud. Sin respeto, sin que te importen los demás, este mundo no sería un lugar muy agradable para vivir. Lo que hoy necesitamos es que la gente saque esa gratitud de adentro, ese respeto y esa admiración hacia los demás y hacia todos.

La idea de la veneración fue desalentada en Occidente durante muchos años. Esto también se extendió al Oriente. En vez de dejar de venerar, necesitamos incrementarlo. El haber dejado de admirar y respetar a la gente condujo a sociedades mucho más violentas. Imaginen que si toda esa gente que anda armada hoy por el mundo tuviera algo de respeto, de veneración y deferencia por quienes los rodean, serían personas totalmente diferentes.

Lo que la gente elija adorar no importa. Pueden ser los árboles, una cruz, esta persona o aquel símbolo. Lo esencial es el sentimiento de adoración. Ni siquiera importa si es un famoso, una estrella pop, lo importante es que esa emoción surja genuinamente de su interior. No desalienten a las personas que idealizan, respetan y veneran a otras.

En Oriente es tradición que todos los días los niños veneren a sus madres como a Dios. Luego al padre, luego al Maestro y más tarde a cualquier huésped de la casa. Los niños pueden discutir con sus padres durante el día, pero cada mañana deben componer las cosas porque deben inclinarse ante ellos y comenzar un nuevo día. Si pelean nuevamente, al menos están empezando de cero.

La vida tiene muchos colores diferentes. Debemos tomarla con todos sus colores y sabores. Hoy necesitamos educar a la gente para que adore y venere más, para que aprecie más. No se pongan paranoicos al respecto. Por lo que sí deberían ponerse paranoicos es por la violencia, la arrogancia, el abuso, el lenguaje abusivo, el enojo, la frustración, pero no por la adoración, la gratitud, el amor y el aprecio.

Pregunta: ¿Dónde aprendimos a tener miedo de cometer errores?

Hay mucha gente que no teme cometer errores. Muchos estudiantes que no temen dejan la escuela y se meten en la violencia. Hay estadísticas recientes que dicen que el 30% de los niños de Norteamérica van hacia alguna forma de violencia. Es un número muy alto. Van hacia la violencia porque no tienen miedo a cometer errores. Debe haber otro 30% que teme cometerlos, que no está interesado en arriesgarse y que se evade.

Lo ideal sería mantener un equilibrio. Tememos cometer errores debido a las consecuencias, porque pensamos que seremos castigados o que las consecuencias serán muy malas. Pero a menudo, aquellos que han sido castigados muchas veces ya no tienen miedo de las consecuencias.

El miedo no puede eliminarse totalmente, tampoco debemos eliminarlo. El miedo es como la sal en las comidas, lo mantiene a uno equilibrado. El miedo nos pone los pies sobre la tierra, pero es sólo esencial hasta cierto punto. Al igual que la sal en las comidas, si hay demasiada, no se puede comer, pero tampoco puede comerse un alimento que no la tenga. Un poco de miedo es esencial en el proceso de crecimiento.

La naturaleza lo ha hecho así. Conduces por la derecha por miedo a tener un accidente. Caminas por la vereda y sólo avanzas en el tráfico si la luz del semáforo está verde. Estos actos provienen del miedo. Si no temieses nada, harías cualquier cosa y violarías todas las leyes. Las leyes siempre se acatan debido a esa pizca de miedo y eso no está mal, pero si hay demasiado miedo, puede ser contraproducente. Hay que mantener un grado de miedo, al igual que un poco de sal en las comidas.

Pregunta: ¿Puede enseñarse la motivación?

La motivación es algo que viene de afuera. La inspiración viene de adentro. Se puede motivar a una persona, pero la motivación tiene corta vida. Para motivar a alguien, se puede dar un premio, pero esa motivación no dura. La inspiración en cambio, dura toda la vida.

Pregunta: Cuando doy clases a mis alumnos casi siempre debo lidiar con el comportamiento entre ellos, que ellos me dicen que es aceptable, sin embargo yo lo encuentro degradante y el lenguaje muy tonto.

Esos niños, podrían disminuir su ira y las malas palabras si tuvieran más actividad física. Verán que los niños que hacen mucha educación física, muchos juegos físicos, no usan tantas malas palabras. El problema está en aquellos chicos que hacen juegos más livianos, juegos para los que no se requiere gran esfuerzo físico, esos chicos tienen lenguaje más agresivo. Esto es todo un tema.

Para manejar chicos que usan malas palabras, cuando les faltan el respeto, lo que pueden hacer es imitarlos. Les muestran *"esto es lo que tú haces, ¿te parece bien?"* Inmediatamente verán que no les gusta lo que ven y dejarán de hacerlo. Imítenlos o hagan de la cuestión un tema divertido, un juego que los haga reír a todos. Lo que ocurre es que cuando una persona se comporta de manera irrespetuosa y uno se ríe de eso, en lugar de reñirles y decirles que no lo hagan, harán reír a todos los demás niños. Entonces todo el ambiente, será de juego o chistes, en lugar de ponerse tenso y desagradable.

Inmediatamente después deberán poner fin a esa situación. Ahora tienen un método efectivo para pedir que dejen de hacerlo. Verán que todo el grupo les obedece y volverán a ustedes. Por el contrario, si de alguna manera regañan al niño, o separan a algún estudiante, el resto de la clase se pondrá inmediatamente del lado de ellos. No del lado del maestro. Siempre involucren a todos y solamente imiten al niño. Con sentido del humor se puede dar vuelta todo el momento a vuestro favor. Esto es tener habilidad para manejar una clase. Verán que todos los estudiantes se ponen de su parte porque todos están unidos en la risa. El humor es lo único que puede transformar la falta de respeto en respeto. Ningún otro consejo o sabiduría servirá.

Practicar estos juegos con los adultos puede resultar en algo más que un enojo. Si alguien es irrespetuoso y ustedes tratan de hacerlo parecer gracioso, será peor. No pueden actuar como maestros con los adultos. Con los adultos, el silencio es oro, simplemente manténgase callados. *¿Qué cosa irrespetuosa les pueden hacer?* La no-reacción hacia los adultos irrespetuosos los hace volver en sí, pero con los niños el silencio no sirve.

En algunos casos hay alumnos con los que el humor no funciona, entonces, ustedes deben actuar, no reaccionar. El silencio podría funcionar con algo de indiferencia. No les presten atención. Si tampoco funciona, alcen la voz. Cuanto más centrados estén ustedes, será menos probable que tengan que ir mas allá de esto.

Pregunta: ¿Qué hacer cuando un niño tiene problemas de conducta y los demás le escapan?

Hagan que todos los niños formen un círculo y pongan al niño con el problema en el medio, pídanles a todos que estrechen su mano con él, que bailen con él, o díganles que le escriban una linda tarjeta. Si el maestro habla a los demás alumnos como un amigo, en su mismo nivel, y luego les pregunta qué podría hacerse para ayudar al niño en problemas, esto hará nacer en ellos la compasión.

Cuéntenles lo mal que se siente el otro niño al ser evitado. Pídanles que les hagan el favor de ir a hablar con él y darle una flor o algo. Esto hará que se sientan orgullosos de poder ayudar al niño que es evitado. Un niño que necesita ayuda puede no querer escuchar al maestro, pero tomará el consejo de uno de sus amigos.

El amigo que esté enseñando o diciendo algo al que tiene problemas, también se sentirá importante porque está haciendo una tarea importante. El proceso es una elevación de ambos. Es algo así como una tutoría de pares, no solamente en las lecciones, sino también en el comportamiento.

Esta generación necesita cultivar más estos valores de ayuda. Nosotros somos los responsables de esto. Los niños de hoy, crearán la sociedad de mañana. Enseñar los valores humanos no es sólo nuestro deseo, es nuestra obligación.

La sociedad actual ha estado plantando semillas de violencia en los niños. Donde miren, en los juguetes, en los juegos, hay violencia. La violencia se implanta en su organismo. Yo diría que los juguetes y juegos de la actualidad son muy feos porque crean violencia en el sistema. Los niños no sienten cualidades delicadas en su interior. La televisión los ha vuelto insensibles a la violencia. Las películas y hasta los dibujos animados son violentos. Todos les pegan a todos, se golpean o se rompen en pedazos.

La violencia ha sido depositada en el consciente y el subconsciente de los niños. No hay nada sobre unificación y reunión, solamente violencia. No es que no deba haber golpes y cosas que se rompan, pero demasiada influencia de este tipo en la mente, crea una sutil tensión en el subconsciente de los niños. Cuando llegan a la edad de diez o quince años, esa tensión se les refleja en la cara. No son burbujas de alegría y dicha, parecen estar oprimidos por dentro.

Debemos hacer algo, es esencial crear el ambiente correcto para su crecimiento. La enseñanza de la no-violencia está totalmente ausente. Cuénteles historias sobre Jesús o Buda, que hablen de la compasión, del servicio, les serán de ayuda. Cuando nosotros éramos niños, recuerdo que cazábamos mariposas y solíamos decir: *"Miren, esta mariposa tiene una vida, es como un ser humano. Se puede asfixiar y puede llorar."* Un niño ve vida y emociones en cada animal. Esto es natural.

El elefante habla, el oso habla, las abejas hablan. Reconocer la vida es innato en ellos. Cualquier niño en el mundo ve la vida y las emociones en todas las especies. Cuando éramos niños se nos decía que si matábamos una lagartija, naceríamos lagartijas. Matar era un tema sensible: si cortabas un árbol, debías plantar cinco en ese mismo lugar. Si no lo hacías, te traería problemas en tu vida. Estos enfoques existían antes.

El aula puede ser un muy buen lugar para inculcar estos valores. También es muy importante porque pasan mucho tiempo en clase. Los maestros deben contarles historias inspiradoras sobre la no-violencia y decirles que la violencia es una vergüenza. La compasión es un signo de dignidad. Esto puede traer un gran cambio. Creen un sentimiento de desagrado hacia la violencia mostrando más valores humanos positivos e inspiradores. Enséñenles a honrar y respetar toda vida. Si les enseñan a ser sensibles con una mariposa, su respeto por toda la vida crecerá.

Den a los niños una amplia visión sobre el compartir. Aliéntenles a compartir cualquier cosa que tengan con los demás. Los niños más pequeños suelen tener tendencia a aferrarse a las cosas. Tenemos que entrenarlos cuando son jóvenes a partir de un lugar de compartir. Denle a un niño una bolsa de caramelos y pídanle que los reparta entre todos. Compartir es una tendencia natural, asegurémonos que sea cultivada y mantenida.

Capítulo VII

Karma y reencarnación

Cada objeto en este universo está dotado de cuatro características que son: *Dharma, Karma, Prema* y *Gyana*.

Dharma significa naturaleza. Todo tiene su propia naturaleza, ya sea algo animado o inanimado. Los monos tienen su propia naturaleza. Los seres humanos tienen su naturaleza. Del mismo modo, los metales, el aluminio y el cobre también la tienen. Nuestra naturaleza o la de un objeto se llama *dharma*.

Asociada a las características de esta naturaleza existe una cierta actividad que se le atribuye, o que proviene de cada objeto. Esta actividad se denomina *karma*.

La tercera característica es *prema*, que significa amor. Hay amor en cada partícula de esta creación. El amor es atracción. Amar significa alcanzar la unión, aglutinar. A través de la atracción, los átomos se unen y forman las moléculas de las que está hecho un objeto. Basado en la combinación de moléculas o átomos identificamos los materiales. Algo mantiene las partes unidas. Esta fuerza que las une y las mantiene juntas se llama amor o *prema*. El amor está presente en toda la creación. Hay amor y por eso sucede la reproducción. Los planetas giran en sus órbitas debido al amor y por amor el sol brilla y existen las estrellas. Hay amor en cada átomo y por eso el electrón se mueve alrededor de la partícula cargada. La carga de atracción, la carga en toda la creación es el poder del amor.

La cuarta característica es *gyana*. Ahora estás leyendo, pero *¿quién está leyendo? ¿Quién reconoce lo que se lee?* Hay algo en este cuerpo que sabe. Pero, *¿qué es lo que sabe?* Es la *Conciencia*. Esta posibilidad de conocimiento también está presente en cada partícula de la creación. *¿Cómo lo sabemos? ¿Sabemos únicamente por medio de la cabeza, o únicamente por medio de los sentidos?* No. Todo nuestro cuerpo tiene capacidad de saber y conocer. La mente no se encuentra solamente en la cabeza sino en todo el cuerpo.

Aun durante el sueño tenemos capacidad de conocer y saber. Por ejemplo, si un grupo de personas está dormido en un dormitorio y alguien entra y llama a uno de ellos, solamente esa persona se despertará. Claro, que si llaman suficientemente fuerte todos despertarán, pero si se hace suavemente, sólo la persona que está siendo llamada lo oirá. Esta capacidad de conocer y saber, se debe a que nuestra *Conciencia* es permeable y la *Conciencia* está en todo el cuerpo y más allá de él. A esto se lo denomina *gyana*, el conocimiento de la existencia o la inteligencia en la existencia.

Hay una planta llamada *"no me toques"*. Cuando te acercas a ella, aun sin haberla tocado, cierra sus hojas. Las plantas pueden sentir, *¿sabes?* Del mismo modo, los animales tienen su propio grado de conocimiento. Los perros presienten hechos. Los pájaros perciben algo que está por suceder. Si hay un terremoto oyes a los pájaros hacer mucho ruido un par de horas antes.

Hay un nivel de conocimiento presente en toda la creación. Este nivel varía al igual que el nivel de amor. Ves cuánto amor puede expresar un perro. Supón que sales por un par de horas y al regreso el perro se enloquece, salta por toda la casa, se sube al sofá, *¡te salta encima!* No sabe qué hacer. Quiere derramar todo ese amor en ti y trata de expresarlo. No dice, *"te quiero mucho. No puedo vivir sin ti"* pero en ese momento te inunda con su más íntimo sentimiento de amor. De la misma manera, las plantas y los árboles de tu jardín emiten amor. Te expresan amor.

Puedes hacer el experimento en casa con las plantas. Cuida particularmente un árbol y quédate con él. No necesitas hablarle ni escribirle una carta..., basta con que estés en un lugar cerca del árbol y verás que crece más. Si verdaderamente pones la intención en que las flores florezcan más rápido, ¡*florecerán!* La gente a veces se sorprende al notar que en los lugares en los que meditamos y cantamos, las flores se mantienen frescas por un mes entero. Mucha gente se da cuenta de esto y nos lo dice. No es nada más que una ley de la naturaleza. El amor es una parte de todo en la naturaleza. El amor es la energía más sutil de la que vivimos.

De las cuatro características, *karma* es la más conocida y la menos entendida. El significado literal de *karma* es acción. Hay tres tipos de karma, *prarabdha, sanchita y agami.* Algunos karmas se pueden cambiar, otros no.

Prarabdha, significa comenzado, la acción que ya se está manifestando. *Prarabdha* es el karma que está rindiendo su fruto o su efecto en este preciso momento. No lo puedes evitar ni cambiar porque ya está sucediendo.

El karma *sanchita* es el *"cosechado"* o *"almacenado"*. Está latente o bajo la forma de tendencia. Una impresión en la mente es una acción latente. Es una acción, pero latente. Es como la memoria. La memoria puede ser funcional en este momento o latente. El karma *sanchita* puede terminar o cambiar mediante prácticas espirituales antes de que se manifieste. Las impresiones fuertes de la mente permanecen y forman el futuro karma.

Literalmente, *agami* significa *"aún no llegado"*. El karma *agami* es aquel que no ha venido aun, que tendrá lugar en el futuro. Si cometes un crimen, puede que no te atrapen hoy, pero vivirás con la posibilidad de ser atrapado algún día. Este es el karma *agami*, el karma futuro de la acción.

Toda costumbre es una especie de karma. Si tienes la costumbre de tomar café todas las mañanas y un día no lo haces, tienes dolor de cabeza, esto lo podría llamar el karma del café. Puedes eliminar el dolor de cabeza tomando más café o puedes eliminar el karma del café para el futuro tomando alguna medida, dejar de beberlo un día y ver qué te sucede. Posiblemente tengas dolores de cabeza por algunos días y debas tomar una aspirina, o comenzar algún programa de gimnasia, o hacer algo de meditación, o prácticas respiratorias para ayudarte.

El tomar conciencia de nuestras tendencias, nos ayudará a sobreponernos de esa costumbre. También atravesando la tendencia se puede superar. Aquí está el rol de *gyana,* el conocimiento, la comprensión.

Conocimiento no quiere decir conocimiento informativo. En este caso, conocimiento significa darse cuenta, tomar conciencia. Cuanto más conciencia tomas de tu comportamiento y de tus costumbres el karma se reduce.

Los animales solamente sufren el karma *prarabdha.* Esto es el karma sobre el cual no tienen ningún control. Los controla la naturaleza. Ellos no acumulan karma futuro. Si fueses totalmente como un animal no crearías ningún karma. Pero como ser humano esto es imposible, porque en tu mente entran las impresiones.

Reencarnación significa volver a tomar un cuerpo. Nuestra mente es energía y en física, la ley de termodinámica enuncia que la energía no se destruye. Si la mente es energía *¿qué pasa con esta energía cuando alguien muere?* La muerte es casi como dormir. *¿Qué te ocurre cuando duermes?* Lo más irónico es que dormimos todas las noches pero jamás supimos lo que es nuestro sueño. Si conociésemos nuestro sueño, si solo lográramos entenderlo, entenderíamos también la muerte.

Mientras duermes, toda tu conciencia, tu atención y tu mente se achican y se achican y finalmente paso a paso se desconectan de las experiencias externas, yéndose hacia nuestro interior, hacia un vacío, al espacio. Y luego *¿cómo te despiertas por la mañana?* Esa misma energía, esa misma *Conciencia* que se había estrechado comienza a expandirse, se despliega y te despiertas. Si observas cuidadosamente el mecanismo, verás que lo último que pensaste justo antes de quedarte dormido será en lo primero que pienses al despertar.

Esto te da una pista de tu reencarnación. La mente que está llena de distintas impresiones, deja este cuerpo, pero las impresiones se quedan con la mente y espera una situación apropiada para que esa misma mente descienda a un nuevo cuerpo durante una copulación y si hay un útero apropiado, simplemente esa mente penetra dentro de ese útero y más tarde nace un niño. El cuerpo se recupera. Por eso se dice que el último pensamiento es el más importante. No importa lo que hagas a lo largo de tu vida, al menos en el último momento, tu mente debe estar libre y feliz. Si eres feliz en el último momento antes de dejar el cuerpo, tendrás un cuerpo mejor la próxima vez.

Tener cuerpo de animal después de haber nacido humano es casi imposible. Puede suceder pero es muy extraño. Si en el último momento de su vida, alguien piensa en un animal, podría nacer así. Esto ocurre porque la última impresión en la mente es la más fuerte y produce tal circunstancia para que la mente tome ese próximo cuerpo.

En muchas culturas es tradición nombrar a los hijos y a los nietos con el mismo nombre del padre o del abuelo. Cuando alguien muere, la impresión más fuerte en su mente son sus hijos o sus nietos. En muchas familias los hijos y nietos llevan la misma vida y hacen el mismo trabajo que sus padres y abuelos.

A menudo esto ocurre en familias muy unidas. Los hijos crecen y actúan y se comportan de la misma manera que sus padres, aun habiendo nacido varias décadas más tarde. Esto es muy común porque los niños son la impresión más fuerte en la mente de los abuelos y las impresiones fuertes crearán tal karma. Toda impresión es karma. Uno no debe preocuparse por esto porque el karma también es fluido, no está escrito en piedra. El último pensamiento al momento de morir es importante, pero puede haber impresiones más profundas. Por ejemplo, no todos los que mueren en la guerra tendrán el mismo tipo de vida. No es posible. Hay muchas diferencias y variables, es muy complejo.

El karma también está siempre sujeto al tiempo, porque cada acción tiene sólo una reacción limitada, no infinita. Supón que alguien comete un crimen y lo envían a la cárcel. El tiempo en prisión es limitado, cinco, diez veinte años. Algo de tiempo tiene que pasar. Al igual que esto, cada karma tiene únicamente una esfera limitada de efecto, sea bueno o malo. Si haces algo bueno a la gente, ellos vendrán a agradecerte, te estarán agradecidos mientras experimenten el efecto de tu acción. El karma es lo que propulsa la reencarnación. Cuanto más fuerte la impresión, mayor posibilidad hay para que la naturaleza de la próxima vida esté regida por esa impresión.

Hay una cosa que puede borrar el karma: el auto-conocimiento, el *Conocimiento*. Si estás en amor total, *Conocimiento* total, apertura total, entonces estás libre de karma. Es lo que decía Buda y los antiguos sabios. Tienes la opción de salir del ciclo de nacimientos y muertes. Puedes decidir regresar, jugar por algún tiempo y luego regresar. Ya no estás más atado por las impresiones. Eres libre.

Un carcelero y un prisionero son el mejor ejemplo de esto. Tanto el prisionero como el carcelero están en la cárcel pero el segundo tiene la libertad de entrar y salir y hacer lo que desea, no así el prisionero. Lo que te da esa libertad es tu *Conciencia*.

Del mismo modo, las adicciones no son otra cosa que impresiones muy fuertes en la *Conciencia*. Ya sea alcohol, sexo, drogas, o cualquier otra cosa, cualquier adicción es un comportamiento compulsivo y es parte del karma. El karma tiene infinitas alternativas porque la *Creación* no es lineal sino multidimensional. La ver-

SRI SRI RAVI SHANKAR

dad no es lineal, es multidimensional. La verdad es esférica. Dentro de una esfera, cada punto está conectado con cada uno de los otros puntos. Si se tratara nada más que de una línea recta, un punto se conectaría solamente con dos puntos, uno delante y otro atrás. En la esfera, un punto está conectado desde todas partes en 360 grados. Por eso en el *Bhagavad Gita,* Krishna dijo: "*Los caminos del karma son insondables*".

Hay muchos tipos de karma: karma individual, de familia, social y karma del tiempo, que también tiene el suyo. Cuando ocurre un accidente de aviación, las personas con el mismo karma estarán ese mismo día en el mismo avión. Si algunos no son parte de ese karma, escaparán, saldrán del avión caminando, aunque el avión sea destruido. Hay muchas historias de supervivencia milagrosa. Los supervivientes no tenían ese karma, por eso sus vidas no acabaron allí, por eso sobrevivieron. A niveles tan profundos donde opera el Karma no podemos definir cuál karma producirá qué efecto, es casi imposible, porque además las leyes del karma son fantasmagóricas.

De los tres diferentes karmas: *sanchita* (el karma que hemos traído con nosotros), *prarabdha* (el karma que está rindiendo sus frutos en este momento) y *agami* (el karma en que podemos incurrir en el futuro), es nuestro karma *sanchita* que tenemos como tendencia almacenada, el que puede borrarse. Podemos quitarnos ese karma. Las prácticas espirituales, las oraciones, el servicio a la humanidad, amar a la gente que esté a nuestro alrededor, meditar, todo esto ayuda a borrar el karma *sanchita* que hemos adquirido y traído con nosotros.

El karma *prarabdha,* que ya está dando resultados, debe ser atravesado. Ya está en marcha. Es como cuando estás en el auto en la autopista, no puedes parar cuando estás en la autopista. Para parar por un tiempo debes estacionar a un costado. Tienes la opción de cambiar de carril, pero si te has pasado la salida debes continuar. Cuando estás en la autopista, si te pasas la salida estás obligado a seguir hasta la próxima salida. Solamente puedes cambiar carriles, elegir el carril rápido o el lento, pero estás limitado.

Hay cierta libertad, pero por otro lado no la hay, la libertad es limitada. Con el karma *prarabdha,* hay algo de libertad y no hay libertad. Tenemos que atravesar ciertas cosas, sea como fuere.

El tercer karma, el *agami,* es aquel que creamos para el futuro. Si hoy violas algunas leyes de la naturaleza, deberás sufrir las consecuencias en el futuro. Por ejemplo, si ayunas durante tres días y al cuarto comes todo el tiempo patatas fritas, te sentirás mal. Esto es el karma *agami.* Consciente o inconscientemente, creamos ese karma futuro y debemos sufrir la consecuencia.

A veces la gente pregunta *¿Por qué le ocurren cosas malas a la gente buena?* Hoy eres bueno pero no sabes lo que hiciste en el pasado. Cosechas lo que siembras. Muchas cosas de nuestro pasado dan resultados en nuestro futuro. Si cuidamos de nuestro karma hoy este no nos molestará mañana. Y cada karma tiene un espacio limitado de reacción.

Hay en principio cinco cosas que recibimos en la vida por el karma *sanchita,* que es el karma adquirido en la vida anterior: el nacimiento, el lugar de nacimiento y los padres de los que naces, tu educación y grado de educación y cuánto conocimiento adquirirás. La riqueza y la fuente de la misma, tu longevidad y la forma en que has de morir. Estas cinco cosas provienen del karma *sanchita,* el karma que hemos adquirido.

Cuán ricos nos haremos, cuánto podremos profundizar en nuestra *Conciencia,* nuestro matrimonio, los hijos y nuestro trabajo social, todo esto es karma *pararabdha, sanchita y agami.* Lo que siembres ahora se convertirá en tu futuro karma. Tienes un cierto grado de libertad de acción ahora para adquirir más karma. Y tienes también un destino seguro del que has sido provisto que no puedes cambiar. No tienes control sobre el lugar en donde naciste. Esto ya sucedió y está dando sus resultados.

Por lo general podemos comprenderlo de esta manera, pero no hay que olvidar que siempre queda una posibilidad abierta. Lo que pasará en el futuro nunca es una posibilidad cerrada. El futuro es siempre una posibilidad abierta. Y lo que le da esta apertura es la presencia de dharma, la naturaleza, nuestra naturaleza, la naturaleza humana, la libertad en ella. El segundo motivo de esta apertura, prema, es el amor que en verdad somos. Como ya dije, el amor es el factor común a toda la creación. El amor permea toda la *Creación*. Y tu conexión con ese amor te puede llevar más allá del nacimiento y más allá de la muerte.

Por lo general decimos, *"¡no odies a nadie!" ¿Sabes por qué no debes odiar a nadie?* Cuando odias a alguien, esa impresión de odio, ese sentimiento se fortalece dentro de ti. Tú te conviertes en él. El no odiar a una persona no es para beneficiar a esa persona. Tu odio te convierte en aquel que odias. Igualmente, si amas también te conviertes en la persona que amas. Porque en realidad, el amor y el odio son lo mismo. El odio es el amor parado patas arriba. El odio es solo una distorsión del amor. A través del conocimiento y del auto-conocimiento, puedes ir más allá del amor y del odio.

Podemos ver la realidad con otro prisma. Hay seis billones de personas en este planeta y a cada segundo emanan seis billones de pensamientos. Es como abrir una botella con gas, de repente salen montones de burbujas. Cada cuerpo emite burbujas de pensamientos. Hay una sola conciencia pero hay diferentes sabores. Cada segundo brotan seis billones de pensamientos pero no se quedan ahí, van y vienen y otra tanda de seis billones de pensamientos vuelve a surgir. Algunos pensamientos están en chino, algunos en inglés, otros en hindi y en otras lenguas. *¡Todos idiomas diferentes, todas emociones diferentes, todos colores diferentes!* Todo está sucediendo en este mismo instante. Cada momento tiene su propia mente. Así como tantos pensamientos vienen en este momento, estos también se desvanecen como las olas en el océano. *¿Por qué darle tanta importancia a lo que alguien diga? ¡Incluyendo lo que yo digo ahora!*

Vamos más allá de los conceptos a una realidad que está más allá de los pensamientos, más allá de las palabras, más allá de los opuestos de amor y odio. Ese es el verdadero amor; ese algo que está más allá del odio, es el amor verdadero. Esto es *Conocimiento*, es *gyana*. Y todos los karmas se disuelven en *gyana*, en el *Conocimiento*, en el auto-conocimiento. El auto-conocimiento tiene la fuerza de disolver y destruir cualquier karma. El auto-conocimiento te libera, te hace libre. Porque te hace uno con la Divinidad y con la totalidad de la existencia, con el auto-conocimiento vives cada momento.

Pregunta: ¿Se logra adquirir la conciencia cósmica a través de las encarnaciones? ¿Llegamos a darnos cuenta de todo? Y ya alcanzado determinado nivel ¿Quieres volver nuevamente para aprender más?

Están las dos posibilidades. Entre medio de las encarnaciones no hay aprendizaje. Sólo hay descanso.

Pregunta: Yo tuve cáncer y estuve leyendo sobre la muerte. Me asustó un poco el Libro Tibetano de la Muerte. Me preguntaba si esas cosas me sucederían y me asustaba mucho y no pude terminar el libro. También leí sobre gente que murió en la mesa de operaciones que tuvo esta maravillosa experiencia y no quería volver. ¿Podría ayudarme un poco con eso?

No te preocupes por esas cosas, ninguna de esas cosas terribles te ocurrirán. No arderás en el infierno, *¡no te freirán como un pollo!* Nada de esto es posible. A la muerte no hay que temerla, es un descanso profundo. Es estar en un espacio de amor, en un descanso profundo. La única incomodidad le sucede a las almas que se suicidaron, porque cuando una persona se suicida está haciendo algo muy tonto.

Supón que alguien se siente angustiado y no sabe cómo resolverlo en su mente, entonces destruye su cuerpo. Destruyendo el cuerpo, la angustia de la mente no se des-

SRI SRI RAVI SHANKAR

truye. Queda con más angustia. Por eso, la plegaria, la meditación, cantar, el estar enamorado te ayuda. De todas maneras, esto tampoco permanecerá con esa persona que se suicida para siempre. Esa angustia permanecerá por un lapso largo con él, pero no para siempre. El suicidio viene a ser como quitarse el abrigo cuando se siente frío. Terminas sintiendo más frío. Por lo demás, la muerte no es nada por lo que haya que preocuparse.

Pregunta: Mi hermana, que era muy hermosa y amorosa, murió atropellada por un auto mientras cruzaba la calle. Estaba ebria. Era alcohólica. Su hijo, que tenía veinte años, murió en un accidente automovilístico mientras conducía alcoholizado. Me pregunto si cuando una persona muere alcoholizada ¿es más duro para ella?

Esto no lo podemos saber. Existen todas las posibilidades. Cada caso es individual. Una cosa es cierta, no hay nada duro en la vida. Si piensas que algo es duro, también habrá amor y fuerzas que vendrán en tu ayuda. Estas dos siempre están ahí. La protección de Dios está siempre ahí en cada situación. Por eso dije que el universo no sólo tiene karma, también tiene prema, amor. Hay un alivio en casa.

Pregunta: ¿Existe un momento en que resuelves todo tu karma y no regresas, cuando no te reencarnas y llegas al máximo Conocimiento?

Sí, pero aun así, eres libre de volver. Y volverás. Solamente no eliges volver cuando tienes miedo del mundo. Cuando sabes que no es otra cosa que un campo de juegos, querrás volver para ayudar a la gente aquí. Definitivamente querrás volver.

Pregunta: *¿Que son los conceptos de infierno y cielo?*

El infierno son todas las impresiones desagradables en la mente. Las impresiones dolorosas en la *Conciencia*. El Cielo son todas las impresiones placenteras en la mente y en la *Conciencia*. *¡No existe tal lugar allá lejos, más allá de la luna donde te llevarán, como tampoco te trozarán y freirán como un pollo!* No, ese lugar no existe. El infierno está creado por tu propia mente.

Pregunta: *Usted dijo que los humanos rara vez se reencarnan en animales, pero ¿se reencarnan los animales?*

Sí, los animales se reencarnan como seres humanos. Definitivamente. Si observas las culturas tribales en partes remotas del mundo, verás que son gente muy inocente. Casi no tienen líneas en sus manos. No se enojan, no tienen celos o codicia. Es asombroso. Su calidad de *Conciencia*, sus mentes, son muy diferentes. Son como vidas nuevas directamente venidas del reino animal o vegetal.

Y aquí también el miedo en el animal es el responsable de su siguiente nacimiento. Una rata reencarna en gato, porque las ratas temen a los gatos. Una víbora reencarna en mangosta, porque su temor forma sus impresiones más grandes y más profundas, toman esos cuerpos. Si un animal es matado por un león o un tigre, o es asustada por ese animal, reencarnará como ese animal. El tigre o el león atacan generalmente por la espalda, entonces el animal que muere no sabe quien le mató, por eso la población de tigres y de leones no crece tanto. Es muy interesante.

Pregunta: Mucha gente a mí alrededor sufre de miedo y de odio, quieren encontrar soluciones, pero no encuentran las herramientas necesarias o la habilidad para hacerlo. ¿Me puede hablar de cosas simples que podamos hacer para lograr el amor verdadero?

Las emociones negativas tienden a surgir. Es algo que ocurre en la vida, el miedo, el odio o los celos pueden aparecer. Por lo general no sabemos qué hacer al respecto, o cómo librarnos de sentimientos de este tipo. Debes dejar pasar un tiempo para poder liberarte de estos sentimientos, pasado ese tiempo verás que desaparecen definitivamente. El tiempo hace decrecer todas las emociones negativas, pero a la gente no se le enseña esto ni en casa ni en la escuela. Aquí yace el valor de la respiración, el secreto de la respiración. Si atravesases las emociones con respiraciones, verías que puedes librarte de todas ellas. La respiración es la herramienta más eficaz, porque es el vínculo entre la mente, las emociones, el cuerpo y el intelecto. Otra forma es la meditación profunda. Y la tercera es saber que toda la creación está hecha de amor y nada más que amor. Es preciso tomar conciencia profunda de que todas estas cosas no son más que olas de emociones que vienen y van. Todo esto se aclara cuando trabajamos más profundamente nuestra respiración.

Pregunta: Me gustaría saber su opinión: ¿Es posible ser físicamente inmortal y no sólo morir y tirar el cuerpo?

Para considerar la posibilidad de la inmortalidad física necesitas tener alguna prueba. No la encuentras. Buda murió, Krishna murió y todas aquellas personas que hablaban de la inmortalidad física también murieron. Puedes pensar que existe esa posibilidad, pero esto sólo te crea conceptos en la mente.

Lo que sí sé, es que se puede vivir mucho tiempo, cientos de años. Yo conocí gente que vivió de 300 a 400 años. Un señor, que falleció recientemente, unos cuatro o cinco años atrás, tenía casi 400 años. Un abuelo en la ciudad en que este hombre vivía, lo había visto siempre igual durante toda su vida y su abuelo también le contó que este hombre ya vivía allí. Era un sacerdote hindú, del sur de la India que vivía en un pueblo llamado Pulachi. Tenemos una cinta de video grabada con él. Hablaba en un lenguaje tan antiguo que nadie le entendía. La gente lo consideraba un hombre muy sagrado e iban a pedir su bendición, sin embargo él también murió. La prueba de la inmortalidad física simplemente no existe.

Pregunta: Dos preguntas. Primero: ¿Quién hizo a Dios? Segundo: ¿Quién le enseñó?

Te contestaré si me dices dónde comienza una esfera. *¿Cuál es el punto de inicio de una pelota?* Esa es una pregunta. La pelota no empieza ni termina en ninguna parte. Simplemente es. Si Dios hubiera sido creado, entonces no sería Dios. *¿Qué es Dios?* (G-O-D, Dios en inglés), el Generador, el Operador y el Destructor. Y *¿qué es este Dios?* Dios es eso que permea todo, un poder que penetra todas las cosas, como el espacio que no tiene principio y no tiene fin. *¿Dónde termina el espacio?*

En los *Upanishads* hay conocimientos muy valiosos sobre Dios. Los *Upanishads* explican de manera hermosa que el espacio es Dios. Todo nace en el espacio, permanece en el espacio y nuevamente se disuelve en el espacio. Hay cuatro características de Dios. *Satyam,* es la verdad. La verdad significa energía, el poder. *Gyanam,* que es el *Conocimiento,* hay *Conocimiento* en el infinito. *Anantam,* que es el infinito. No me preguntes dónde termina el infinito. Todo aquello que es infinito, que es *Conocimiento*, verdad y energía, eso es Dios. Y eso es de lo que tú también estás hecho. Tu cuerpo es limitado, pero tu conciencia es infinita. Tu mente no tiene fin. No empieza aquí o termina allá. No tiene principio y no tiene fin.

Pregunta: Usted dijo algo sobre los hábitos, sobre ser conscientes de las tendencias, por ejemplo, el fumar. ¿Cómo te quitas el hábito siendo consciente de la tendencia? ¿Cómo funciona?

La manera más fácil es hacer un voto por un determinado período. No pienses: *"No voy a fumar durante toda mi vida"*. Di: *"Está bien, pase lo que pase, no voy a fumar por cuarenta días"*. Prométele a Dios, no voy a fumar por cuarenta días, si lo hago, *¡acaba conmigo!* Cuando haces ese voto, entonces se hace más fácil. Luego dirás *"me siento tan bien, no fumé por cuarenta días"*. Entonces, si realmente tienes ganas de fumar, hazlo durante una semana, y luego nuevamente, haz el voto de dejar por otros cuarenta días. Esta es la forma de librarse de estos hábitos, haciendo votos por períodos limitados.

Otra manera es con la ayuda de alguien muy cercano a ti. Que te hagan elegir entre tu esposo o tu mujer o los cigarrillos. Pídeles que te hagan ese desafío, o tu hijo o hija, porque el amor puede llevarte a través de todos los hábitos. El poder del amor es tan grande.

Una vez vino una señora a verme porque había vuelto a fumar y me pidió ayuda. Le dije que hiciera la elección, los cigarrillos o yo. Si fumas, olvídate de mí, no vuelvas a hablarme, no vengas a verme, no vengas a meditar. Simplemente, vete, deja la meditación, las prácticas de *pranayamas* y el *Sudarshan Kriya*, todo. Como amaba tanto el *Conocimiento*, el *Kriya* y todo esto, directamente dejó de fumar, aunque lloró uno o dos días... Primero pensó que pedirle que hiciese esa promesa era algo muy cruel, pero después de una semana se sentía muy feliz de que yo hubiera sido tan firme.

También hay tres cosas que pueden ayudarte. Una son las prácticas. Si haces algunas prácticas y tienes disciplina, podrás superar cualquier hábito indeseable. La segunda es el temor. El temor también te puede hacer superar cualquier hábito, el temor a la enfermedad, a la muerte, a lo que fuere; al temor de que Dios se enoje contigo. Y la tercera es el amor.

Pregunta: ¿Cuál es el concepto y el entendimiento sobre los ángeles y nuestra relación con ellos?

Si miras a través de un candelabro de cristal ves todos los colores en los cristales. Sin embargo existe una sola luz de color dentro del cristal, pero cuando la luz atraviesa esos cristales, aparecen muchos colores. Siete colores, como un arco iris. El color del arco iris está contenido en la luz blanca. Cuando no hay prisma, ves la luz blanca pero no ves ningún otro color. El espíritu, o la *Conciencia divina*, es sólo una, pero tiene muchos atributos, muchas cualidades. Algunos de esos atributos o cualidades podrían llamarlos ángeles. Son parte de un todo y tú eres parte de esa misma luz y todos los ángeles son parte tuya. Ellos te sirven.

Hablar sobre los ángeles podría ser todo otro tema en sí mismo. Hay tanta confusión acerca de ellos. La gente piensa que son algo más, alguna otra entidad en alguna parte del espacio, que vienen y te hacen algo. En realidad son la proyección de nuestra propia *Conciencia,* de nuestra propia fuerza de vida.

———◆◆×◆◆———

Capítulo VIII

La muerte y más allá de la muerte

Qué es la muerte? ¿Qué hay después de la muerte? La naturaleza nos permite poder dar un pequeño vistazo a la muerte en nuestra vida diaria: el sueño. Cuando estás despierto, estás ocupado en diversas actividades, y en el momento de ir a la cama *¿qué te sucede? ¿Adónde vas?* Ya haya sido agradable o desagradable el día, el sueño te otorga un descanso profundo. El sueño simplemente te toma en sus brazos, te reconforta y te prepara para que te preocupes nuevamente al día siguiente. El sueño te cura, te reconforta y enriquece tu estado de *Conciencia* al despertar. Si no duermes, hasta estar despierto te resultará insípido.

El sueño y la vigilia parecen contradictorios, sin embargo se complementan. Un buen sueño te permitirá estar más alerta y más despierto. Si observas tu sueño, sabrás mucho sobre tu muerte. Dormimos todas las noches, pero nunca hemos conocido nuestro sueño. *¿Lo has notado?* El último pensamiento que tuviste justo antes de quedarte dormido, es el primero que tienes no bien despiertas. Lo mismo es cierto para el largo sueño de la muerte. Dejas un cuerpo y entras en otro.

La muerte es amiga de la vida. Esto no significa que debas suicidarte. Esa es una noción incorrecta. Mucha gente se suicida creyendo que así se librarán de la angustia, agitación o agonía, pero nacerán con los mismos problemas la próxima vez. El suicidio no es la respuesta. El suicidio no te aleja de tu angustia o de tus problemas. Lo que lleva a uno a suicidarse es un profundo deseo de vivir sin problemas. Cuando la vida es simplemente un juego y realmente has vivido la vida, entonces abrazas naturalmente a la muerte cuando llega. Es el miedo a la muerte lo que empaña la vida y tememos a la muerte porque no sabemos qué es.

Sueño, meditación y amor son sinónimos de muerte. *¿Qué significa muerte?* Dejar el pasado. Muere a cada momento y nacerás a cada momento. Dejar todas las identidades del pasado, ver al pasado como un sueño, eso es la muerte. Así como el sueño te reconforta, durante la meditación aparece un profundo confort y te das cuenta de que todo está cambiando y todo está muriendo en este universo. Dime algo que no muera. Las plantas, los seres humanos, todo muere y todo es renovado.

Millones de personas han caminado sobre este planeta, se mantuvieron en forma perpendicular sobre él, y por fin todos quedaron horizontales bajo la tierra. La máxima verdad es que nos iremos horizontales abajo de la tierra. Los sabios mueren, los tontos mueren, el doctor y los pacientes mueren. No sólo los pacientes se mueren, los doctores también. No sólo los enfermos se mueren, los sanos también mueren. Los listos y los tontos se mueren. La muerte es algo que todos atravesaremos. Este mundo es un lugar donde todo muere.

Despierta y ve lo que es el miedo. Algunos tienen miedo de acostarse. Los sobrecoge el temor de sólo pensar que no despertarán. La falta de comprensión de la vida causa miedo. La gente tiene miedo al amor, a la meditación, la gente tiene miedo a morir, tiene miedo de sí misma. La ignorancia, la falta de auto-conocimiento son la causa del miedo. Un solo vistazo a tu *Ser*, al *Ser* que eres, un simple vistazo al hecho de que estás más allá de la muerte, arrancará de ti este miedo por completo.

Esto es lo que le ocurre con las personas que clínicamente han tenido una experiencia de lo que es la muerte. Hay muchas personas que han estado clínicamente muertas por algún momento y luego revivieron. Esa gente sabe que no hay que temerle a la muerte. Simplemente sabes que eres mucho más que tu cuerpo. Sabes que tu *Ser* no tiene fin. El *Ser* está más allá de la muerte. Cuando no temes irte a la cama, es porque estás seguro de que despertarás. Si dudases nunca querrías irte a dormir. Tratarías de mantener los ojos abiertos todo el tiempo. Hay un cuento relativo a la muerte en los *Upanishads.*

Había una vez un señor que hacía sacrificios a Dios, su nombre era Gautama. Hacía regalos y mucha beneficencia con la esperanza de recibir todo nuevamente en el futuro, en el cielo. A menudo la gente cree que si hace buenas acciones aquí en la tierra, tendrán un mejor lugar en el cielo. Es como hacer una inversión con la caridad. Hacer algo para tener buen karma. Si haces mucha beneficencia tendrás una habitación cómoda, una cama mejor, buena comida, buena compañía y muchos sirvientes para cuidarte en el cielo.

Gautama hacia beneficencia como inversión a futuro, en el siguiente mundo. Y generalmente es así, cuando alguien hace caridad regala aquello que ya no le sirve más. Gautama regalaba las vacas que ya no servían para nada. Estaban flacas y ya no daban más leche, solamente regalaba las vacas flacas, magras y secas.

Los hombres cometen actos de codicia no sólo para sí mismos sino también por sus hijos y su familia. La persona que obra mal, por lo general, no lo hace para sí mismo. *¿Qué necesitaría una persona para sí mismo?* Sus necesidades son fáciles de satisfacer. La codicia viene a causa de los hijos. La gente se vuelve codiciosa por el bien de los hijos y hacen un montón de cosas que de no tenerlos no las harían. O también por la fama. Por la fama o por querer ser reconocidos y obtener sensación de seguridad.

Gautama tenía un hijo joven, de apenas ocho años, que vio lo que su padre regalaba y un día le dijo, *"¿qué está haciendo padre mío? ¡Estás haciendo caridad y regalas cosas que no sirven para nada!"* En ese mismo momento el padre no podía decirle nada porque había mucha gente pero el chico continuó interrumpiendo y diciendo, *"¿a quién me entregarás a mí, a quién me regalarás a mí?"* Cuando el hijo le pregunto *¿a quién me entregarás a mí?*, lo que quería hacer, era que su padre entendiera lo que hacía. Pero el padre ya estaba muy enojado y le respondió: *"Te entregaré al dios de la muerte"*.

Y cuenta la historia que el niño, luego de haber oído esto, comenzó a preguntarse sobre la vida. *¿Qué es la vida?* Nacemos, bebemos, comemos, tenemos placeres y nos morimos. Si la muerte es lo esencial, quiero saber qué es y adónde vamos después de morir. Si ese es el destino final de toda esta obra o drama de la vida, *¿a dónde vamos desde allí? ¿Qué hay más allá de la muerte?*

Debido a la sinceridad del niño, cuando preguntó al señor de la muerte, este se vio obligado a responderle diciendo, *"¡no me preguntes! Este es un secreto profundamente custodiado. Pídeme cualquier otra cosa y te la daré. Estoy muy contento de ver tu concentración, tu total desapasionamiento y que seas un chico tan centrado. Pareces tan inteligente y brillante, ¡tan joven y tan maduro!, has comprendido la vida sin haber atravesado todos los laberintos que atraviesan otros. Pídeme lo que quieras, todos los placeres del mundo. Te haré rey del lugar con mucha riqueza, fama y vacas lecheras, pero no me pidas por el Máximo Conocimiento, el secreto mejor guardado".* Pero el chico no se inmutaba.

Esta ha sido la tradición con el *Conocimiento*. Jamás se le dará el *Máximo Conocimiento* a uno cualquiera. Si alguien quiere conocer la verdad, la realidad, tiene que haber una poderosa urgencia por saber. Una curiosidad superficial no será suficiente. La pregunta profunda debe salir de uno mismo, preguntarse por el propósito de la vida: *¿Qué quiero, quién soy, dónde estoy, de qué se trata todo esto?* Solo una pregunta así, tan profunda y auténtica dará lugar al *Máximo Conocimiento*. El señor de la muerte lo hizo simplemente para averiguar si su cuestionamiento era auténtico y lo suficientemente profundo. Y el niño no se movió. Finalmente el señor de la muerte tuvo que decirle, tuvo que llevarle al *Máximo Conocimiento* de la vida. El conocimiento de la muerte te otorga el conocimiento de la vida. El señor de la muerte le dio a Natchiketa, así se llamaba el niño, el conocimiento de la vida, de cómo es la vida más allá de la muerte.

El último pensamiento en nuestra mente antes de quedarnos dormidos será el primero que tendremos al despertar, igualmente la última impresión en nuestra mente vendrá con nosotros en la vida siguiente como la primera impresión al nacer. Lo vemos en las familias, vemos cómo niños nacidos con los mismos genes, en la misma familia, resultan ser totalmente diferentes.

Los mismos padres, pueden concebir mellizos muy diferentes. *¿Cuál es la causa?* Aunque los gemelos tengan muchas similitudes físicas, mentales o emocionales, las almas en estos cuerpos son diferentes. Son diferentes porque hay algo diferente que viene de las impresiones anteriores en sus mentes.

Nuestra mente es energía y la energía no puede ser destruida. La energía es indestructible. La mente es una enorme energía. *¿Qué ocurre con esta mente cuando deja el cuerpo?* La mente está encapsulada en las muchas impresiones almacenadas en ella de los eventos de nuestra vida y cuando deja el cuerpo se va flotando como un globo invisible y se mantiene así por algún tiempo, hasta que vuelve a entrar en otro cuerpo.

El conocimiento de la muerte te hace inmortal. Es hasta incorrecto decir que *"te hace inmortal"*. El conocimiento te permite percibir que eres inmortal, *¿Ves la diferencia?* Ya eres inmortal. Algo en ti no muere jamás. Debes de haber notado que cuando miras a la gente te parece que han envejecido, sin embargo no sientes que tú hayas envejecido. *¿Alguno nota que envejeció?* Si estás en un estado mental normal, aun teniendo ochenta años de edad, jamás sientes que has envejecido. Para los demás, podrás parecer muy viejo, pero bien dentro de ti no sientes jamás que eres viejo porque hay algo en ti que no envejece jamás.

¿Has notado que algo en ti no cambia, que no envejece? No nos damos cuenta. Estamos tan ocupados atrapados en nuestras actividades que no nos tomamos el tiempo para notar u observar la verdad que somos. Solo detente en una playa, totalmente solo, y piensa: *¿he envejecido?, ¿he cambiado?,* o *¿hay algo en mí que permanece siempre igual desde el principio?* La vida es un círculo. La muerte trae el nacimiento y el nacimiento conduce a la muerte.

La muerte tiene que ser celebrada, no llorada. Por supuesto, cuando muere un ser querido tuyo, sientes mucha pena y tristeza porque alguien que hasta hacia muy poco caminaba y hablaba contigo, de repente se fue. *¿Dónde está? ¡En ninguna parte!* Sólo está el cuerpo, pero la persona no es el cuerpo. *¿Adónde se fue el espíritu?*

Aún hoy, en la India existe una costumbre, una muy antigua costumbre que cuando alguien muere, la familia tiene autorización para llorar y hacer duelo solamente durante los primeros diez días. Al undécimo día tienen que celebrar. Los antiguos sabios que iniciaron esta tradición conocían muy bien la mente humana. Hay profesionales del llanto, plañideras que se contratan para los duelos. Se les paga y vienen a llorar y gritan; *"¡Oh! ¡Hermosa mía, moriste! ¡Me has causado tanto dolor, te has muerto! ¿Adónde fuiste sin mí?"* También hacen otras cosas, tocan tambores, lloran, lloran y lloran. Se revuelcan en el suelo y lloran. Estas profesionales suelen venir en grupos de cuatro o cinco y cuando se las ve y se las oye hacer todo esto, hasta aquellos cuyas emociones están más aplacadas y bloqueadas, comienzan a llorar también.

Claro, para algunos ver esto puede resultar irritante, pero de lo que se trata es de hacer salir todas esas lágrimas de tu interior, toda la pena. La pena tiene que ser vivida, pero luego hay que deshacerse de ella. No hay que reprimirla. Estar diez días atravesando la experiencia de la tristeza o la angustia total estaban permitidos, pero nada más que diez días. Durante aquellos diez días, no había que realizar ninguna otra actividad social, ni rezar, ni acatar costumbres u obligaciones sociales. Estabas libre de toda obligación social. Cuando alguien muere, se crea inmediatamente un vacío. Tienes que estar con ese vacío.

Estando totalmente con ese vacío, sabes que tú también lo eres. El vacío está en tu vida, tú eres el vacío. Es vacío total. No solamente la muerte es vacío, la vida también lo es. Eso es *Nirvana*. Buda dijo que todo es vacío y el vacío es la verdad. Las formas, los cuerpos físicos, son elusivos. Las formas no tienen existencia. La única existencia es lo que no tiene forma. Lo que no tiene forma es lo que gobierna las formas.

¿Tiene forma tu mente? ¿Algún diseño? ¿Un color? ¿Sabor? Tu mente no tiene forma. *¿Has saboreado la mente de alguien?, ¿Es dulce, o agria?, ¿Es salada?* La mente está más allá del sabor, de la vista, o cualquiera de estos cinco sentidos. No tiene forma.

¿No es la mente la que gobierna tu cuerpo? Si los autos se mueven en las autopistas, *¿qué es lo que mueve el auto, el cuerpo o la mente? ¡La mente!*, si la mente no estuviese en el cuerpo, el cuerpo solo no podría hacer nada. El cuerpo sin la mente estaría en posición horizontal bajo la tierra. Lo que no tiene forma gobierna tu vida. Gobierna el mundo. Y existe algo sin forma aún mayor que rige toda la *Creación*. Y tú eres el centro de

ese algo sin forma, o como quieras llamarlo, Dios, Conciencia, No-mente, Nirvana o Espíritu.

La muerte crea una vacío. Antiguamente, se le pedía a la gente que se sentara sobre las tumbas a meditar. *¿Por qué?* Porque eso te desapasiona. Tu mente no vaga de aquí para allá. Dice, *"ésta es la meta, aquí es donde terminaré"*. *"Esta es la morada final. Está bien, me sentaré y me quedaré tranquilo"*. Para atraer esa quietud, una de las técnicas que usaban en la antigüedad era sentarse sobre tumbas, o ponerse cenizas. Se ponían cenizas porque la ceniza te recuerda la finitud del cuerpo. El cuerpo se convertirá en cenizas, recordar eso cada momento te hace más alegre, no más triste.

Cuando alguien muere, quédate completamente con ese vacío durante diez días y medita, tú puedes meditar. La meditación ocurre automáticamente. La meditación es muy parecida a esta experiencia de vacío. Durante la meditación, te percatas que no eres solamente el cuerpo, eres más que el cuerpo. Eso aniquila el temor a la muerte. La meditación viene a ser como limpiar la pantalla. Tu pantalla, tu conciencia, tiene tantas cosas escritas en ella. La pantalla es tu conciencia. Si tienes que volver a escribir en ella, debes repasarla, limpiarla. *¡De lo contrario, comienzas a sobrescribir tanto que finalmente no puedes leer nada!* La vida es un lío porque tus diferentes experiencias han sido superpuestas unas encima de otras tantas y tantas veces.

Al undécimo día después del duelo, se comienza a celebrar. No más llanto, no más lágrimas. Al undécimo día hay una ceremonia. Se ponen algo de agua, agua de rosas para lavar los ojos, se ponen un poco de manteca derretida, se lavan los ojos para refrescar el organismo y después comen, hacen una fiesta, intercambian regalos y celebran. Tiene que ser una gran celebración. Lo mismo ocurre con los nacimientos. También hay festejos durante diez días y los padres están liberados de las obligaciones sociales por ese tiempo para estar profundamente con esa alegría. Al décimo día después de un nacimiento también hay una celebración.

He visto mucha gente con enfermedades terminales que me han dicho, *"Sri Sri, recién ahora he comenzado a vivir mi vida plenamente. La calidad de mi vida ha mejorado tremendamente. Antes y hasta ahora sólo existía en mi propio ensueño. Ni siquiera me daba cuenta de que tenía vida. Ahora vivo realmente la vida. Todo lo que hago, lo hago al cien por cien. Disfruto muchísimo porque sé que voy a morir pronto"*. Esa chispa, esa alegría es igual al entusiasmo de un niño, volvemos al punto cero, como cuando nacimos. La característica de la vida es el entusiasmo, el signo del éxito es la sonrisa y estar alegre. Todo esto está dentro de nosotros.

A medida que crecemos pareciera que perdemos la vida. Vamos muriendo una muerte lenta, sin entusiasmo, pálida, completamente muerta. Y cuanto más intelectual se vuelve una persona, más seca se torna, queda atrapada en su intelecto y se hace más insensible. A menudo en estas personas la sensibilidad es casi nula. Las computadoras pueden ofrecer información, los sentimientos son los que nos hacen humanos.

El primer acto de la vida es la inhalación. Tomamos una gran bocanada de aire y el siguiente paso es llorar. El último acto de la vida es la exhalación y después hacemos llorar a los demás. Cuidando y prestando atención a la respiración descubriremos muchos secretos sobre la vida, los secretos te serán revelados. El conocimiento sobre la muerte mejorará la calidad de tu vida. El conocimiento de tu respiración hará lo mismo, el Conocimiento te hace estable y fuerte.

A esto se lo denomina vida inmortal, cuando tu memoria se vuelve tan aguda que puedes saber todo lo que ha ocurrido en el pasado y te vuelves tan intuitivo que ves el futuro. La mente es un instrumento capaz de ir para atrás y para adelante. Tiene esta capacidad, pero a menos que estés totalmente en el presente, la memoria no será lo suficientemente aguda sobre el pasado ni tampoco para el futuro. Esto es una medida de protección diseñada por la naturaleza para nosotros.

Es por tu propio bien no recodar nada de las vidas pasadas. *¿Por qué?* Porque estarías lamentándote y preocupándote. Supón que recordaras que tuviste una gran casa en Beverly Hills y que naciste allá hace cincuenta años y que tus hijos estuvieran ahora viviendo allí. Te lamentarías, *"mira eso, gané todo ese dinero. Durante toda la vida no hice otra cosa más que ganar dinero y ahora otros lo están disfrutando"*. O si creyeras que alguien se comportó mal contigo en la vida anterior, estarías sintiendo rencor por él en esta vida. El conocimiento de nuestras vidas anteriores no nos llega hasta que no estemos lo suficientemente preparados para vivir completamente en el momento presente. Esto es bueno. No es necesario recordar todo el pasado. Como tampoco es necesario saber todo lo que haremos en el futuro. *¡Acabaría con el suspenso y la diversión! ¡Deja lugar para alguna sorpresa!*

Lo más importante es vivenciar que algo en ti no cambia, hay algo que no muere, algo en ti que no se pudre.

Todo lo que hicimos en la vida nos pasará como un flash en el último momento. Si durante nuestra vida hacemos algo positivo que nos da sustento, esas mismas impresiones continúan con nosotros y la mente tendrá más energía. Por eso se le dan tanta importancia a los valores humanos, la amistad y la compasión, porque vivir estas cualidades es una inversión a futuro.

Cuanto más energético sea este globo llamado mente cuando mueres, mejor posicionado estarás al momento de entrar en un nuevo cuerpo. Cuanto más débil la mente, más débil será el próximo cuerpo, mal nutrido, o nacerá en un ambiente violento.

¿Por qué algunos nacen en ambientes muy violentos y otros en lugares confortables? La situación de cada uno es un indicativo de las impresiones que trajo de la vida anterior. Hay muchos factores. Hay una esperanza para que cada alma, para que cada ser humano viva amor incondicional. Es por eso que cada cuerpo humano es tan precioso. Porque en este cuerpo tienes la habilidad de borrar todas las impresiones negativas no deseadas.

Un ratón tiene miedo al gato. La impresión más fuerte o más profunda en la mente del ratón es el gato. Por consiguiente, nacerá gato en la próxima vida. *¡No tiene alternativa!* El ratón no puede elegir nacer conejo, porque no tiene miedo a los conejos. El proceso es muy científico, es matemática pura. La impresión más fuerte que queda en la mente será de los miedos. Un organismo humano tiene la habilidad de borrar el miedo por medio de la meditación. Si meditas, cualquier tipo de miedo que haya se esfumará, desparecerá, se disolverá.

Hay una creencia popular en la India que dice que si naces humano, al menos debes mantener el nivel humano. Si no quieres alcanzar algo más elevado, no importa, pero como mínimo querrás volver como humano. Es común creer que debes portarte bien en la vida, para que la última impresión o la más fuerte en la mente, sea sobre algo bueno. *¡Lo que no sabes es cuándo llegará el último momento!* Cuando llega el último momento no puedes crear de repente impresiones frescas. La impresión que haya sido más fuerte será la que prevalezca, no importa cuán vieja sea.

Por eso en el *Bhagavad Gita*, el Señor Krishna dice, *"mira Arjuna, nunca sabes cuándo llegará el último momento, por lo tanto, no esperes a que llegue. Mantenme en tu mente todo el tiempo, medita, haz que eso sea la impresión más fuerte".* Y luego Krishna también le promete, *"te digo, jamás derramarás lágrimas de tristeza, es una promesa. Si hubiese alguna lágrima, serán de gratitud, de amor y de alegría".*

Cuando hay una gran curiosidad en la mente sobre lo que hay más allá de la muerte, esta curiosidad continuará después de la muerte. Si no has comprendido lo que es la vida, lo querrás saber después de muerto. *"Viví toda una vida y ni siquiera la sentí o vivencié, por favor déjame volver para averiguar lo que es".* Es un círculo vicioso. En vida tomas en serio a la muerte y después de muerto, tomas en serio la vida. El ciclo continúa como una cadena.

Cuando algunas impresiones negativas se tornan insoportables, algunos quieren un descanso, un solaz y se suicidan. Esto es muy desafortunado, porque no tienen noción de la meditación. Alguien que tiene conocimiento de la meditación o de cómo utilizar la respiración para quitarse todo el estrés emocional, los miedos y las ansiedades, no se suicidará.

El suicidio es como decir, *"tengo frío"* y comenzar a quitarse el abrigo. Si estás tiritando con el abrigo puesto *¿sentirás calor si te quitas toda la ropa?* Es una tontería. Esto es exactamente lo que hacen los que se suicidan. Después lo lamentan mucho, sabiendo que lo que hicieron estaba mal y que perdieron una gran oportunidad.

En casi todas las religiones existe la costumbre de que al morir, o junto a un moribundo, uno se sienta para orar y enviar vibraciones de buenos pensamientos al muerto. También es frecuente el servicio fúnebre en cada tradición. Algo de verdad hay en todo esto. Cuando meditas o cuando rezas, cuando estás en el espacio de la vasta calma y el amor, emites ciertas vibraciones y estas vibraciones no se limitan únicamente a lo que te rodea. También tocan a todas aquellas mentes, o a los *"globos"* de almas que están fuera de tu realidad física. Tu plegaria trasciende la realidad física y alcanza los niveles más sutiles de la existencia. Es por eso que rezar no es tan solo sentarse y decir un montón de palabras, sino estar en ese lugar calmo y sereno, en un estado meditativo. Cuando meditas, envías radiación llena de paz, ondas de luz, entonces aquellos que ya dejaron su cuerpo, los que alcanzaron la otra orilla, se benefician de esto. La plegaria es como un rayo láser, llega al otro lado, donde está oscuro y lleva la luz.

Se dice que cuando alguien es iluminado o que floreció completamente, siete generaciones tendrán paz y se beneficiarán por su causa. Cuando floreces plenamente, siete generaciones que te precedieron son liberadas, porque la luz es tan poderosa que esa energía alcanza a siete generaciones pasadas y continuará por siete generaciones futuras. El efecto permanecerá allí, la paz, la calma, la dicha y la alegría y será trasmitida en los genes.

Cuando meditas, no sólo estás mejorando tus genes, esas cualidades también se trasladan a tus hijos. Estás provocando un cambio en todo tu organismo. La práctica del *Sudarshan Kriya* también lo hace, muy rápido e inmediato. El *Kriya* inunda tu organismo con tanta energía, que lava cada célula, haciéndote sentir muy fresco y vital.

Por eso, la plegaria ayuda. Algunas personas se quejan, *"medito, pero no siento nada, todas las vibraciones van hacia alguien en el pasado o en el futuro"*. Eso no quiere decir que no estés ganando algo, ¡estás pagando *tus deudas! ¡Tomaste mucho prestado y hasta que no cierres tu deuda con el banco, no tendrás saldo!*

Pregunta: ¿Importa la forma en que uno muere? ¿Hay alguna diferencia entre morir en una batalla o en un accidente automovilístico?

Si mueres en una batalla, eres realmente liberado. *¿Por qué?* Porque cuando la muerte te sorprende en medio de una batalla, tu mente no tiene miedo, está totalmente en el momento presente, pero con gran coraje y desafío. El coraje y el desafío son una indicación de gran *prana* o fuerza de vida en ti. Por eso se dice que las personas muertas en el campo de batalla van al cielo, son liberadas. La mente no está baja de energía, sino en un estado de alta energía.

En el caso de una muerte por accidente, no podemos predecir cómo estaba la persona en aquel momento. Algunos pueden tener mucho coraje, algunos piensan en Dios en el último momento, otros están muy asustados. Depende. Realmente no sabemos a menos que conozcamos bien a la persona o la situación.

Pregunta: ¿Cuál es su opinión sobre tomar contacto con aquellos que ya murieron?

Existe la posibilidad de contactar a la gente que ya

falleció, pero no tiene mucho sentido hacerlo. Sería más valioso poder hacer algo por ellos. Y eso lo puedes hacer si meditas, cuando estás en paz o cuando eres compasivo y realizas buenas acciones de amabilidad, de caridad, no sólo con el pensamiento, sino usando tu compasión y tu amabilidad. Tus buenas vibraciones hacia los que ya se han ido, les ayudará.

De lo contrario, cuando tratas de contactarlos, por lo general les preguntarás, *"¿Qué sientes por mí?"* y cosas por el estilo, y muchas veces recibirás información mezclada. Si la persona que es el médium no está completamente centrada, puede llegar a poner también cosas de su mente en la respuesta. Sucede bastante a menudo, que la gente diga, *"Estoy canalizando a la Madre Divina, estoy canalizando a Dios, o a aquella persona, o a algo"*. Después se entremezclan un montón de otras cosas y finalmente no sabes qué es qué.

Capítulo IX

Jesús, la encarnación del amor

Jesús y Amor son sinónimos. Si dices amor, no necesitas decir Jesús. Si dices Jesús, eso quiere decir amor, una vez Jesús dijo, *"si llamas a Dios en mi nombre, si le pides a Dios en mi nombre, lo que pidas te será dado. Porque Dios es amor".* Esa semejante expresión de amor es lo que se encuentra en Jesús.

Cualquier pequeña cosa que puedas vislumbrar aquí o allá, indican esa *Plenitud,* la máxima expresión de lo inexpresable que la vida se esfuerza por mostrar a través del tiempo. El amor va junto al coraje. Mira el coraje de Jesús. Él elimina de cuajo los conceptos comunes de la gente, como que los fuertes heredarán la tierra. Él lo da vuelta y dice *"los mansos heredarán la tierra. Los mansos heredarán el cielo".* Porque el amor te amansa. No importa cuán fuerte seas, cuando estás enamorado eres el más débil. El amor es la fuerza más poderosa en este universo y sin embargo te hace manso, te hace débil. Hasta un macho llorará cuando está enamorado. Un macho puede llegar a ser un ratón tras alguien a quien ama mucho. El amor te hace débil, pero te trae el reino de los cielos.

Jesús dice: *"Ama a tu prójimo como a ti mismo"*. Era imposible que alguien no reconociera el amor que Jesús significaba, pero como el amor te hace débil, también es temible. Entre miles, sólo un puñado lo siguió. Muchos lo escucharon, pero sólo unos pocos vinieron. Por eso, Él dijo: *"Muchos vendrán a escucharme pero sólo unos pocos comprenderán. Muy pocos pasarán a través del estrecho camino"*.

Aun después de mostrar todos esos milagros, sólo unos pocos, doce o trece, reconocieron y siguieron a Jesús. No eran grandes intelectuales. Era gente simple e inocente. Cuando Jesús dijo: *"El reino de los cielos está dentro de ti"*, ellos no lo entendieron y dijeron, *"¿de qué lado de Dios te sentarás, del derecho o del izquierdo?"* Una vez que entras, ¡no hay derecha ni izquierda! No hay adelante ni atrás.

No eran personas muy inteligentes. Les tenía que contar parábolas de muchas maneras y les tenía que repetir todo para ayudarles a comprender mejor. Toda esa paciencia y compasión sólo provienen del amor.

"He venido a poner al hombre contra el hombre, al padre contra el hijo, a la hija contra la madre". Dijo estas palabras pero tan sólo unos pocos comprendieron lo que quiso decir. Ese quien consideras tu amigo no lo es, porque hace que tu fe se haga fuerte en lo material, no en lo espiritual. *"He venido a poner uno contra otro. He venido a encender el fuego, no a hacer la paz"*. ¡Si tuvo que decir esto es porque vio el profundo dolor en la gente! Cuando dices algo agradable y pacífico todos se duermen. Cuando algo es sensacional, la gente despierta y escucha por eso los diarios están llenos de estas historias. *¡Así es la mente humana!*

Jesús hizo todo lo posible para que atravesaran la mente y entraran en el alma, el espíritu, la fuente de la vida, el Ser. Rompes con el concepto limitado de relacionarte con algo, o con alguien o con identidades, y reconocerás la Divinidad en ti, que eres mucho más que un ser humano. Eres parte de lo Divino y heredarás el reino, que está justo muy dentro de ti.

En alguna parte dijo: *"Habría sido mejor que Judas no hubiera nacido"*. Aquellas palabras no provienen del enojo o de la frustración. Con frecuencia cuando a alguien no le gusta otra persona suele decir, *"ojalá no hubiera nacido"*. Pero Jesús dijo, *"Judas, ojalá no hubieras nacido"*, porque Él podía sentir el dolor que Judas estaba atravesando. Judas estaba haciendo el papel que le había sido ordenado. *¡No tenía elección!* Y Jesús podía sentir ese dolor, el sufrimiento por el que Judas estaba pasando. La compasión de Jesús por él era tan grande, su amor por él era tan grande, que al decir *"ojalá no hubiera nacido"*, mostraba el nivel de su amor por él.

En determinado momento, al final, Jesús dice: *"Todavía no soy uno con mi Padre, pero vayan y digan que soy uno con mi Padre"*. Los eruditos se preguntan por qué pudo haber mentido Jesús. Le dice a uno de sus discípulos cercanos: *"No soy uno con mi Padre aún, pero ve y dile al mundo que soy uno con mi Padre, yo y mi Padre somos uno"*. También en el último momento, cuando dijo: *"Perdónalos, porque no saben lo que hacen"*. O cuando dijo: *"Dios mío, Padre mío, ¿me has abandonado?"* Esa idea, el último pensamiento que *"Dios me ha olvidado"*, mantenía distancia entre yo y mi Padre, *"yo soy el escalón de entrada a la casa, pero dile al mundo que ya estoy en casa. Soy la entrada para dar la bienvenida a todos aquellos que quieran venir a casa"*.

Cuando uno está en casa es más fácil. Quedarse en la entrada esperando a los demás, esperando bajo la lluvia, en la nieve, bajo la tormenta, al sol, esto sólo sucede si hay mucho amor, mucha compasión. Jesús está prácticamente en casa para todo el mundo. Si la gente pensase que Jesús no estuviese en casa, nadie lo seguiría. Nadie escucharía lo que tenía para decir. Él se queda en la entrada, no por su propio bien, sino por el bien de quienes están por llegar.

El conocido sabio Bodhisatva dijo una vez: *"Estaré a las puertas del cielo, hasta que toda la gente haya entrado, seré el último en entrar al cielo. Esperaré en la puerta".* Lo mismo es verdad para Jesús. " *"Yo y mi Padre somos uno, digan esto a todos".*

La Biblia tiene muchas contradicciones. En una parte dice: *"He venido para hacer la vida abundante. He venido para nutrir la vida".* Pero en otra parte dice: *"He venido a apagar el fuego".* Estas contradicciones revelan la verdad, el misterio más profundo de la vida, de la *Creación*. Para eso se necesita nacer dos veces. Nacer de nuevo. Nacer del espíritu. Pueden decirle espíritu, o prana, es lo mismo. La fuerza de la vida.

No puedes entender los dichos de Jesús si no estás repleto de prana, de fuerza de vida. Si no es así, el *Conocimiento* no será más que otro concepto en tu cabeza. Sólo el corazón puede sentir a ese corazón. De lo contrario, en nombre de Jesús, en nombre de Dios o de la religión se matan unos a otros. Muchas guerras ocurren en nombre de Dios. Los hombres pelearon durante siglos en este planeta en el nombre de Dios, de los profetas o de la religión. No tienen ni idea de Jesús. Por supuesto, esto fue predicho por Jesús.

Jesús dijo: *"Yo soy el hijo único de nuestro Padre".* Cuando dice *"nuestro Padre"* quiso decir, *"nuestro"* Padre, ¡el de todos!, *"Soy el hijo del único Padre. Esto fue malentendido".* Si Jesús fuera el hijo único del Padre, entonces *¿de quién son hijos los otros? ¿El resto de la humanidad es hija de Satanás?* Entonces diríamos: el Padre de Jesús, no *"Padre nuestro"* como decimos. Cuando las palabras fueron traducidas y traducidas del hebreo original, se perdió mucho en el camino. A menudo Jesús decía: *"Recemos a nuestro Padre en el cielo".* Y nuevamente dice *"nuestro Padre"* y lo que quiere decir es, el padre de todos los seres vivientes en el mundo.

Lamentablemente, esto ha sido equivocado y dicho mal, *"Jesús su único hijo".* Claro que él merece llamarse *"el único hijo"* porque encarna lo que el Padre es, en su totalidad. Y aunque todos seguimos siendo hijos del mismo Padre, o hijas del mismo Padre, de alguna manera es justo llamar a Jesús único hijo.

Jesús dijo: *"¿Ven? Los llamo amigos míos, los trato como a mis amigos, no como a sirvientes. Porque los sirvientes no saben lo que el Señor hace. Les diré, compartiré con ustedes todo lo que he oído sobre mi Padre".* Esta es la mejor manera de impartir enseñanzas. Es la mejor manera de compartir el amor. Con el Señor, ustedes tienen respeto, no un amor personal. Con un amigo, se comparten los sentimientos más íntimos, los pensamientos, las ideas y los secretos. Jesús dijo: *"Yo soy tu amigo"*. Krishna también le dijo lo mismo a Arjuna en el *Bhagavad-Gita: "Arjuna, eres mi mejor amigo, por eso te daré el Conocimiento más elevado"*.

Donde hay autoridad no puede haber amor y donde hay amor, no hay autoridad. Jesús abre sus brazos diciendo, *"ven, eres mi amigo, no temas, no me pongas en el altar. Dame un lugar en tu corazón. Veme en cada uno que veas a tu alrededor. Ama a cada uno como yo te amo a ti, o tanto como me amas a mí. Compártelo con todos a tu alrededor"*.

¿Qué más quieres ver en esa encarnación del amor? La gente seguía pidiendo una prueba. Si Jesús viniera hoy, le dirían de nuevo, *"pruébanos que eres el hijo de Dios"*. Hasta en aquellos tiempos le pedían que probara que era el hijo de Dios, aun después de haber transformado el agua en vino. Porque la mente está basada en pruebas. La mente no puede comprender a Jesús, solamente el corazón puede sentir su presencia.

Aquellos que crucificaron a Jesús no eran malas personas, eran ignorantes. Estaban atrapados en sus mentes, sus cabezas. No habían nacido del espíritu, pero habían leído todas las escrituras y los libros. Pensaban que era un blasfemo, que había hecho algo criminal.

El propio Jesús dijo en alguna parte: *"Todos aquellos que vinieron antes que yo, son ladrones y delincuentes"*. *¿Qué quiso decir con esto? ¡Esto quiere decir que te están robando la mente del momento presente!* No puedes amar a quien tienes frente a ti, no puedes experimentar amor por quienes te rodean, *¡pero sueñas con alguien en el futuro o glorificas a alguien en el pasado!* ¡Lo Divino está en el presente! Lo Divino es la conjunción de la presencia con el presente. Aquí y ahora. Te han robado la mente por el pasado o por el futuro. Yo estoy aquí para traerla al ahora, al momento presente. Soy el único camino. Si no puedes ver la Divinidad en mí cuando estoy justo frente a ti, *¿crees que podrás ver la Divinidad en el futuro o en el pasado?* Olvídalo. Yo soy el umbral. Mírame, mira lo que manifiesto y eso es lo que tú eres. Estoy parado a la entrada para traerte a casa. Tienes que dar el paso, entra. *¡No irás a ninguna otra parte!* Jesús te conduce a tu propio Ser, tu propia Divinidad, que está en tu interior más profundo.

Lamentablemente la gente piensa que Él vendrá en una carroza, que se sentarán en ella y que sus cuerpos serán conducidos hacia algún lugar en las nubes. En este siglo, en el que la ciencia ha avanzado tanto, todavía hay gente atrapada en la mente no científica. *¡Es asombroso!* Eso quiere decir que los tiempos no cambiaron tanto. Tal vez hayan cambiado un poco aquí o allí, pero nada más.

Jesús es la encarnación del amor. El amor no tiene nombre ni forma. El amor es abstracto y aun así, muy concreto. No tiene nombre ni forma, pero se manifiesta en todos los nombres y en todas las formas. Este es el misterio de la Creación. Puedes ver al amor en todas partes en esta creación si tan solo tienes un ojo para verlo. Basta con que mires un pájaro con su pichón en el nido: el pájaro viene y alimenta a su pequeño. Cómo esperan los pequeños a sus madres. Allí hay amor. Hay amor entre los peces. En el cielo, debajo del agua, sobre la tierra. Y hay amor en el espacio exterior.

Todas las formas están llenas de amor y cada nombre representa al amor. Así es como Jesús es uno con el Padre; porque el Padre es uno con su *Creación*. En la India, la *Creación* y el creador son comparados con la danza y el bailarín. No puedes tener danza sin bailarín. El creador está en cada mancha de la creación. Eso es lo que se llama la omnipresencia, la omnipotencia.

Si Dios es omnipresente, está presente en todas partes. Un creador, si es diferente de la creación *¡no está* *presente en su creación! ¡Por lo tanto no es omnipresente!* Toda la definición de Dios se termina.

El amor está presente en todas partes, pero en algún lugar encuentra su expresión total. El conocimiento de tu Ser te conduce hacia la expresión total del amor, o al florecimiento del amor. El amor eleva tus ojos de todas las cosas pequeñas. Jesús dijo que no te preocuparas por tu alimento y tu vestimenta. Aun los pájaros reciben su comida.

Hay un antiguo dicho en la India que dice que los pájaros no van nunca a trabajar ni las serpientes se preocupan por el mañana, como tampoco tienen seguros y consiguen todo lo que necesitan. Él, que alimenta, los cuida a todos ellos. Cuando lo Divino provee a todos, ni la pitón va a trabajar ni los pájaros lo hacen. Todos son cuidados, todo está siendo cuidado.

Mira tu vida: cuánto tiempo gastamos, cuánta importancia le damos a lo mundano. La Divinidad ocupa el último lugar en nuestra lista de prioridades. Primero hacemos esto y aquello. Para lo último que tenemos tiempo es la plegaria o la meditación. Le dedicamos tiempo de baja prioridad a Dios y así también son los resultados. Cuando no tienes que ir a fiestas, ni a nadie con quien hacer sociales, entonces, si hay tiempo, bueno, hagamos algo de meditación, oremos. Jesús dice: no te preocupes por lo mundano, porque te será dado. Bucea en lo profundo de tu ser, porque el reino de Dios está dentro de ti.

Pregunta: ¿Podría hablarnos de María Magdalena?

Ella era la mujer que se vendía a los placeres carnales, pero se elevó en el espíritu. La saturación del mundo y del amor mundano la hicieron elevar sus ojos hacia algo que es del espíritu, que simplemente es estupendo. Ella le lavó los pies y los secó con sus cabellos. Sintió un amor tan profundo, que se elevó en ese amor profundo con Jesús. Fue una de las más valientes al ir al frente durante la crucifixión y sostenerlo. No sólo sostuvo su cuerpo, sino también su espíritu de amor en ella. Ella se hizo inmortal. Yo la colocaría aún por encima de los otros doce discípulos. Porque estaba más cerca del Espíritu que Pedro o Juan.

El *Espíritu* es eterno, más allá del nacimiento o la muerte. El *Espíritu* está más allá de los nombres y las formas. Cuando estás realmente enamorado de Jesús, verás a Jesús en cada nombre, en cada forma, en cada rincón y esquina del planeta y más allá. Si solo imaginas a Jesús como una forma limitada a cierto momento y lugar de la historia, entonces tu crecimiento también es limitado, porque estás limitando a Jesús. Y tu crecimiento no puede ser ilimitado. No estás viendo a

Jesús por lo que es, por quién es. Claro que si un nombre o una forma es muy atractivo para ti, lo puedes tener como tu Maestro personal. Solo tienes que ir hacia los valores que el Maestro representa verdaderamente y vivirlos. Entonces no será del pasado, él está aquí ahora. Y también lo estará en el futuro, por los siglos de los siglos.

Pregunta: Todos ansiamos el amor. Todos queremos amor y ser alguien con amor. Y al mismo tiempo, en alguna parte hemos dado vuelta las cosas y cuando conocemos el amor, no lo reconocemos o le tenemos tanto miedo que lo llamamos "el mal" o "Satanás".

¿Por qué la gente no reconoce el amor? Por falta de entendimiento, mente pequeña, vista corta. *¡No es nada nuevo!* Ha venido ocurriendo a lo largo de la historia. El ego querría glorificar al pasado o soñar con el futuro, pero no aceptar el presente. Por eso Jesús dijo, *"sólo unos pocos traspasaran el umbral".*

¿Qué podría ser peor en el mundo que la situación actual en la que se encuentra la tierra? Las películas de terror y la violencia en la sociedad *–¿puede haber algo peor que eso?–* No es nada más que la paranoia de la gente pensando, *"Esto es Satanás. Vayamos a la iglesia. Allí está el Conocimiento. Si leen textos de Buda o escuchan las sabidurías de Buda, debe ser Satanás".* ¿Cómo

podrían ser satánicas las sabidurías de Buda o Krishna o Upanishads o Mahoma o de cualquier otro profeta? ¡El Satanás más grande es la televisión!

La civilización se está destruyendo al máximo, ya no puede caer más bajo. Miren las telenovelas. *¿Hay algún conocimiento sobre meditación, yoga, alguna charla o discurso o discusión sobre el Ser? ¿Cómo podría estar mal eso?* Todas estas cosas elevan los valores humanos. *¿Cómo podría estar eso contra Jesús? ¡Es ultrajante!*

La gente se mata entre ella en nombre de Jesús y protesta, grita slogans en nombre de Jesús, lo que es totalmente contrario a las enseñanzas de Jesús. Jesús dijo: *"Aún habiendo cometido algún error, ¿cuántas veces debería ser perdonado? ¿Siete veces? No, setenta veces siete".*

¿Cómo podría ser satánico un conocimiento que te condujera a valores humanos más grandes, a vivir el amor con plenitud en la vida? Algo que mejora tu cuerpo, tu salud, tus relaciones con quienes te rodean, *¿Cómo podría ser satánico eso?, ¿Cómo podría estar mal?* Cualquier cosa que aporte amabilidad, amistad, compasión, amor y traiga alegría y felicidad en tu vida *¿puede estar contra Jesús?*

Pregunta: ¿Cómo puede entenderse el concepto de que Jesús sufrió por nuestros pecados?

Jesús nunca dijo, *"sufro por tus pecados"*. Fue sólo una forma utilizada para despertar a los demás. Se han dicho muchas otras cosas por el estilo, *"¡Cuidado, está por llegar el día del juicio final, vamos, despierta!"* Cuando Jesús estuvo en este planeta, aquellos fueron los días más oscuros en ese continente. Había esclavos, no estaban bien educados, ni tampoco se daban cuenta de las cosas. Por aquellos días era necesario decir, *"¡Vamos, despierta! ¡Habrá un desastre!"*.

El miedo lo despierta a uno del sueño. De lo contrario, haríamos lo mismo, repetiríamos lo mismo, seríamos apagados y cerrados al *Conocimiento*. Los maestros de entonces conocían la psicología de la mente humana. Por eso decían, *"bien, llegará el día del juicio final. Se abrirá el infierno. Vamos. Despierten, sean amables, compasivos, oren, hagan algo por el bien de su espíritu"*. Usaban esas tácticas para despertar a la gente que tenía la cabeza tan cerrada. El miedo no es una herramienta necesaria si eres sensible, pero funciona con aquellos que son toscos. Hoy no es necesario inducir miedo, hoy hay que ir a través del amor. A través de la gratitud. Los sabios tienen muchas maneras de conducir a la verdad, esa era una de ellas.

Pregunta: En las escrituras no leemos mucho sobre Jesús entre los doce y los treinta años. Ha habido especulaciones sobre su visita a la India y demás. ¿Tiene comenta-

rios al respecto que pueda compartir con nosotros?

Existe un lugar, un monasterio, en donde se dice que Jesús visitó la India y tienen muchas inscripciones y pruebas allí. Aun hoy, va mucha gente a rendir su homenaje. La India ha sido la tierra en donde el conocimiento espiritual siempre ha sido apreciado y promovido. Hasta los parsis de Persia, cuando no tenían a dónde ir, cuando fueron expulsados de Persia, se afincaron en la India. Hoy existe la religión Parsi en la India. En la India se alentaron las diferentes escuelas de pensamiento.

El Cristianismo proviene del Judaísmo, pero si se detienen en el Cristianismo y el Judaísmo, verán que muchas prácticas del Cristianismo no están en el Judaísmo, pero sí estaban en las tradiciones védicas, y en las costumbres indias mucho antes de los tiempos de Jesús. Por ejemplo, el símbolo del pez. En la antigua India, el pez era usado para simbolizar algo sagrado. También la misa y la comunión. Esto en la India se denomina *"prasad"*, dar algo de comer en nombre de Dios, diciendo que Dios es el alimento. El alimento es parte de la Divinidad. Lo mismo se hace en el Cristianismo. El rosario y la túnica de color anaranjado que Jesús vistió, es también una indicación de una influencia de la India. Muchas otras cosas, como el agua bendita no bien entras a la iglesia. Esto también es tradición en los templos de la India. Una campana; en la religión judía no se usa la campana, pero sí en la cristiana.

En la tradición védica o en la antigua tradición hindú, se usan campanas en todos los templos, en todas partes, también en el Budismo. Cuando observas muchas de estas prácticas del Cristianismo, se pueden rastrear los conocimientos y prácticas que había en India. Hay muchas similitudes. La mayoría de los conocimientos de la Biblia tienen paralelos o similitudes en los *Upanishads*. Notarán que la verdad es siempre una, es la misma. Por supuesto que es la misma también en el Judaísmo, pero las prácticas del Cristianismo tienen tantos parecidos con las tradiciones Indias, que esto podría ser una buena indicación de que Jesús pasó mucho tiempo en la India.

Jesús dijo: *"Yo estoy antes que Abraham"*. Lo mismo dijo Krishna. Al hablarle a Arjuna, en el *Bhagavad-Gita*, le dice: *"Yo he dado estos conocimientos anteriormente a otra gente en el pasado"*. Entonces Arjuna dice: *"¿Cómo puedes decir eso? ¡Tú eres ahora y Manu ha estado tantos miles de años atrás!"* Entonces Krishna le dice: *"No, yo también he estado antes que Manu"*. Son las mismas palabras de Jesús, *"Yo estoy antes que Abraham"*.

Hay aproximadamente siete grandes religiones en el

mundo. En total hay seis del Lejano Oriente y cuatro de Oriente Medio. *¡No piensen que Jesús era de Occidente! ¡Era de Oriente Medio!* En Oriente, el más antiguo es el Hinduismo, luego vienen el Budismo, el Jainismo, el Taoísmo, el Shintoísmo y finalmente el Sikismo. De Medio Oriente, el más antiguo es el Zoroastrismo y luego en ese orden, el Judaísmo, el Cristianismo y el Islam.

Tres de las religiones de Medio Oriente tienen la misma raíz en el Viejo Testamento: El Islam, el Cristianismo y el Judaísmo. Son como hermanos de la misma familia. Los Sikhs del Lejano Oriente tienen otras raíces, el Shintoismo y el Taoísmo son completamente diferentes. El Budismo, el Jainismo y Sikismo tienen por supuesto sus raíces con el Hinduismo.

Estas seis religiones coexistieron en el Lejano Oriente, se entrelazaron y mezclaron unas con otras. Si van a un templo taoísta, verán que también allí hay estatuas de Buda. El budismo aceptó al taoísmo. Los taoístas aceptaron al budismo. El hinduismo aceptó tanto el pensamiento jainista como el budista. Entre las seis religiones del Lejano Oriente que tienen raíces distintas ha habido una cordial relación. Sin embargo las tres religiones del Oriente medio que tienen la misma raíz en el Viejo Testamento, *¡siempre han estado peleando entre ellas!* Es sorprendente, *¡pero es verdad!*

Vean si no, Líbano, Jerusalén, Israel, estas áreas han estado en conflicto por siglos. *¿No es interesante?* Es como si hermanos de la misma casa se pelearan entre ellos, mientras que los amigos conviven de una forma mucho más coherente.

Lo que yo les quiero decir es: aprópiense de todo. Las diez religiones en el mundo les pertenecen. Porque ustedes son hijos del único Padre o hijas del único Padre. Pertenecen a lo Divino y lo Divino trajo el *Conocimiento* a diferentes partes del mundo en diferentes épocas y a personas diferentes cuando fue necesario. La inteligencia suprema es muy cuidadosa y los nutre con el *Conocimiento* que necesitan en cualquier momento en este planeta. Los sabios e inteligentes tomarán de todo y seguirán adelante. Miren a la vida desde un nuevo ángulo, tengan una nueva visión cuando lean el Viejo Testamento, el Nuevo testamento, la Biblia o el Corán. En cualquier religión verán que todas señalan una cosa: los valores humanos, que son el amor, la compasión, la alegría.

Un viejo dicho en la India dice, *"El sentido de todas las escrituras son dos letras y media"*. Nada más que dos letras y media. En inglés, cuatro letras: *(L-O-V-E)* A-M-O-R. En hindú o sánscrito nada más que dos y media. *"Alguien que estudia lo sabe todo. Y alguien que*

*no ha estudiado estas dos letras y media no sabe nada,
haga lo que haga".*

———◆◆✕◆◆———

Capítulo X

Buda, la manifestación del silencio

Cuando aquel día de luna llena en el mes de mayo Buda se iluminó, quedó en silencio. No dijo una sola palabra durante una semana. Cuenta la mitología que todos los ángeles del cielo se asustaron y dijeron, *"Una vez cada milenio alguien florece tan completamente como Buda. ¡Ahora está callado, no dice una palabra!"* Los ángeles se acercaron a Buda y le pidieron que dijera algo, que les hiciera el favor de hablar. Buda dijo, *"Aquellos que saben, saben aún sin que yo les diga y los que no saben, no van a saber por mis palabras. Cualquier descripción hecha a un ciego de la vida no tendrá sentido. A aquel que no ha saboreado la ambrosia de la existencia, de la vida, no vale la pena hablarle sobre ella. Por eso estoy en silencio".*

¿Cómo se puede transmitir algo tan íntimo, tan personal? Las palabras no pueden. Muchas escrituras del

pasado han declarado, *"las palabras terminan donde comienza la verdad"*. El argumento era muy bueno. Los ángeles dijeron, *"estamos de acuerdo, lo que dices es correcto, pero Buda, debes considerar a aquellos que están en el límite, algunos están en el medio, no son totalmente inteligentes ni totalmente ignorantes. Para ellos unas pocas palabras les darán un empujón. Por el bien de ellos, habla, di algo. Cualquier palabra tuya creará aquel silencio. Si las palabras crean más ruido, entonces no han alcanzado su objetivo"*. Las palabras de Buda crearon definitivamente silencio, porque Buda era la manifestación del silencio.

El silencio es la fuente de la vida y es la cura para las enfermedades. Habrás notado que cuando la gente está enojada se queda en silencio, o al principio grita mucho, pero luego se queda callada. Y también cuando estás triste pides que te dejen solo. Te es fácil detectar quién está de buen humor y quien no. Si está demasiado callado, entonces sabes que algo anda mal. Si estás triste, te pones silencioso. Lo mismo ocurre si te sientes avergonzado, te callas y si eres sabio también te vuelves callado. Cuando enfrentas la ignorancia y preguntas sin sentido, te callas, *¿qué puedes hacer?*

Cuando le preguntaron a Jesús *"¿Eres el hijo de Dios? Vamos, pruébamelo"*. Él se quedó en silencio. Fue lo más sabio que pudo haber hecho. Cuando se piden pruebas sobre algo que va más allá de ellas, el remedio es el silencio. Si le dices a alguien que te duele una pierna y te contesta, *"Vamos, dame una prueba, ¿cómo puedo hacer para creerte? ¿Cómo puedes probar que realmente te duele?"* Cuando no puedes probar algo tan grave como el dolor, *¿cómo puedes probar algo tan íntimo como la iluminación, como la divinidad?* Los sabios se vuelven silenciosos. Un antiguo proverbio sánscrito dice: *"la distorsión es la raíz del habla".* En cuanto comienzas a hablar ya has distorsionado el significado. Las palabras son incapaces de capturar la existencia, pero el silencio sí puede.

Espacio y silencio son sinónimos. La alegría, la realización, traen silencio. El deseo trae ruido. El silencio es la cura, porque es en silencio que uno vuelve a la fuente y eso crea alegría. Por eso cuando alguien está triste, se pone silencioso y cuando se sobrepone a la tristeza, sale del silencio. Se supone que saldrá con más alegría, o al menos con algo de calma.

Buda era la manifestación del silencio. Su silencio provenía de la saturación, no de la falta. El sentimiento de falta crea quejas y ruidos, la saturación te trae silencio. Fíjate en el ruido en tu mente. *¿De qué se trata? ¿Más dinero, más fama, más reconocimiento, realización, relaciones?* El ruido viene por algo. El silencio es por nada. El silencio es la base: el ruido es la superficie, lo exterior. El ruido indica falta, necesidad, deseo. La vida de Buda no se trataba de falta, necesidad o deseo. Desde el mismo comienzo de su vida, él vivió una vida muy saturada y rica. Cualquier placer que quisiera estaba a su disposición en el momento que lo deseara. Gautama Siddharta vivió esa vida y tú te estarás preguntando *¡cómo es posible que una persona con semejante placer y lujos pueda hablar de tristeza!*

Hay que experimentar la tristeza, el dolor y la miseria en la vida para poder hablar al respecto. Buda dijo el primer principio. La primera verdad que descubrió fue: hay dolor. Porque él estaba tan saturado de placeres externos que ya no había nada más para él. Todo estaba siempre a su disposición. Él se quedó en silencio desde el principio, porque estaba saturado. Su silencio nació de la saturación.

Un día dijo, *"quiero salir a ver cómo es el mundo"*. Le nació esta curiosidad. Cuando vio enfermos, viejos o moribundos, o que alguien había muerto, estas tres instancias le bastaron para darse cuenta de que había angustia. Cuando vio a un enfermo, Buda dijo: *"Basta, es suficiente; ya lo experimenté"*.

Ese silencio profundo, solo ese silencio consolidado puede ser así de sensible. Gautama tenía la habilidad de ver el dolor en los demás y reflejarlo en sí mismo, sentirlo y experimentarlo. Un simple vistazo a un anciano

o a un cadáver eran suficientes. Buda dijo:
gría en la vida. Yo ya estoy muerto. La v
sentido. Volvamos". Y volvía a su palacio.

Vemos morir tanta gente, vemos tanta miseria y no
nos inmutamos *¿por qué?* Porque no hay silencio. Estamos atrapados en nuestros pequeños deseos, anhelos y
aversiones. La mente llena de su propio ruido es incapaz de percibir la música de la existencia. El silencio es
la música de esta existencia. Es el secreto de esta existencia.

Un simple vistazo a la miseria fue suficiente para que
Buda iniciara un viaje de averiguación. *¿Cuál es el propósito de la vida? ¿Por qué vivimos? ¿De qué se trata el
universo?* Todas estas preguntas, las preguntas más sig-
nificativas, nacieron de aquel silencio, de aquel silencio
de saturación. Entonces Buda salió en busca de la verdad completamente solo, dejando el palacio, a su mujer
y a su hijo. Cuanto más fuerte el silencio, más poderosas resultarán las preguntas que de él provengan. Nada
podía detenerlo, así que se escapó. Sabía que no le estaría permitido salir con la luz del día, por eso se escapó
silenciosamente del palacio durante la noche y buscó
durante muchos años.

Hizo todo lo que la gente le pidió que hiciera, fue de
un lugar a otro buscando respuestas. Alguien le dijo:

"*ayuna*", entonces ayunó. Anduvo muchos caminos y finalmente se sentó y descubrió cuatro verdades. En el mundo hay angustias y la angustia tiene una causa. No se puede ser infeliz sin una razón. Puedes ser feliz con o sin motivo, pero no puedes ser infeliz sin un motivo.

Si te fijas, verás que un bebé, un niño, solamente llora cuando necesita leche, o cuando quiere ir a dormir o necesita algo. Cuando todo está satisfecho el niño está feliz, alegre. Un bebé está feliz con sólo mirarse un dedo, porque la alegría no necesita un motivo. La risa no necesita de un chiste; pero la angustia tiene una causa. Si alguna vez estás triste, hay una razón para estarlo. Entonces Buda dijo: *"La primera verdad es que hay dolor, el mundo es dolor"*. Cuando esta verdad se hace sólida en la mente, se vivencia que el mundo es dolor, sólo entonces serás capaz de ver qué hay más allá de este mundo, de ese algo, de ese espíritu que es solo alegría.

En la vida hay solamente dos posibilidades para aprender. Una es observar el mundo que nos rodea y aprender viendo el sufrimiento de los demás y la otra es vivirlo desde tu propia experiencia. Al pasar a través de esa experiencia, encontrarás el sufrimiento y la desdicha. No hay una tercera posibilidad.

Cuanto más sensible eres, menos necesitarás pasar por todas las miserias personalmente. Puedes ver a quienes las sufren y volverte sabio. Si no es posible, no te preocupes *¡las atravesarás y emergerás pleno y más sabio! ¡Esto es garantizado!* La vida es inmortal. Sólo es cuestión de aprender la lección tarde o temprano. Hay dolor, no puedes negarlo y hay una causa para ese dolor, esta es la segunda verdad.

La tercera verdad dice: *"Es posible eliminar la angustia"*. Si la angustia fuese tu naturaleza, no podrías eliminarla, pero este no es el caso. Existe una posibilidad de salir del dolor.

La cuarta verdad que dijo: *"Hay una forma, un camino, hay un camino para salir de la angustia"*. El camino que él describió tenía ocho ramales: la práctica correcta, la meditación correcta, la ecuanimidad correcta, la visión correcta, el tipo correcto de samadhi, la clase correcta de silencio -no el silencio del luto-, ni el del enojo o el odio, sino el tipo correcto de silencio.

Buda nació en un momento muy interesante de la historia de la India. Por el contrario a los tiempos de Jesús, Buda nació en un momento en que India era muy próspera y la sociedad había alcanzado la cumbre del pensamiento filosófico. La gente de esta época era muy bien educada y en una sociedad altamente intelectual, la gente cree que sabe, sin saber. Creen que lo saben todo, pero en realidad no lo han experimentado.

Este era el caso de la India. La máxima filosofía estaba ya disponible –yoga, Vedanta, darshan, meditación. La gente creía que conocía todo eso. Hablaban de Brahman, del infinito, pero solamente estaban atrapados en sus propios intelectos.

Buda les llamó a su camino diciendoles: vengan y vean, vengan y experiméntenlo. Él no podía discutir y ganarle a cualquiera intelectualmente, porque todos creían que ya sabían. La discusión es discusión, puedes discutir y discutir sin fin, ni límite. Entonces Buda dijo: *"Miren, he aquí cuatro pasos simples que les doy. Observar el cuerpo, observar la sensación, observar el fluir de la mente y observar vuestra naturaleza. Observación. Vengan, tengo una técnica muy simple, vengan y siéntense. Dejen de lado todos los conceptos, lo que deseen, tan solo vengan y vean, siéntense y vivencien"*. A la gente inteligente le gusta hacer eso, les gusta lo práctico, y entonces muchos vinieron a él. Recuerden que todos los discípulos de Buda eran personas muy inteligentes, eruditos y muy bien educados. No necesitó convencerlos demasiado. Cuando se les dijo, *"vengan, siéntense, meditaremos y observaremos"*, todos estaban dispuestos a hacerlo. Eso es un signo de una sociedad avanzada, de que la gente está abierta, no eran mentes cerradas, eran de mentes innovadoras, preparadas para escuchar, entonces Buda les habló y les enseñó.

Diez mil personas se sentaron inmóviles a observarse, meditar, liberarse y lograr *Conocimiento*. ¡Diez mil personas!, en toda la historia jamás antes había ocurrido algo así.

Buda no aceptó entrar en discusiones filosóficas con ninguno de ellos. Dijo que no contestaría a ninguna de las preguntas, se mantendría en silencio. *¿Hay Dios?* No dijo nada. *¿Cuándo empezó este universo?* Siguió en silencio, *¿El universo tiene fin?* No dijo nada. *¿Qué pasará con el alma después de que se ilumine, a dónde irá?* Él dijo que esas eran preguntas irrelevantes, no dijo una sola palabra.

Ciertas preguntas, una vez que comienzas a contestarlas, no las contestas. Algunas preguntas, digas lo que digas, sólo quieren decir *"no"*. Digas *"sí"* o *"no"*, significa *"no"*.

¿Eres consciente? Ser consciente es *pragya*. Si tu mente está diciendo *"sí, no, sí, no"*, *¿percibes eso? ¿Sí? ¿Eres consciente que estás diciendo "sí"?* Ese algo que está más allá de tus respuestas por sí o por no, más allá de tus pensamientos, tus conceptos, tus sentimientos e ideas, ese algo es tan delicado y tan concreto a la vez, y sin embargo tan vago e intangible, eso es *pragya*, auto-conocimiento. Esto se aclara cuando estás tranquilo, cuando estás en samadhi, cuando tienes ecuanimidad.

No prestar tanta atención a la mente, tenerla presente en su justa medida, puede arrancar de raíz la angustia de nuestras vidas. Puede romper los patrones mediante los cuales actuamos y vivimos. El silencio rompe el patrón, como ninguna otra cosa. Es parte de nuestra naturaleza, de nuestro organismo. El cuerpo humano está hecho de esa manera. Fíjate cuando algo es demasiado para la mente, ésta se vuelve silenciosa. Cuando algo te asusta *¿qué te produce?* Te deja en silencio. Algo apabullante te hace callar. Cuando algo es maravilloso las palabras desaparecen, te vuelves silencioso. En el momento de máxima emoción, en la cúspide de cualquier evento hay silencio. Al reconocerlo, manifestarlo en tu vida, cruzas el océano del samsara, el océano de la miseria.

Por el contrario, cuando te sientes feliz o angustiado, le atribuyes ese sentimiento a algo que esté fuera de ti. Entonces la rueda comienza a rodar. La reacción, comienza a funcionar la cadena de reacción. Haces responsable a algo más por tu miseria o tu infelicidad, haces responsable a algo. Buda dijo: *"no"*, simplemente observa las sensaciones.

Creo que debería ser obligatorio que todos los psicólogos estudiaran a Buda. Un psicólogo jamás lo será por completo si no estudia a Buda. Buda dio todos los conocimientos sobre la mente y sus funciones de una forma muy metódica. En las psicoterapias tradicionales se le dice a la gente, *"hay dolor muy dentro de ti, hay miedo muy dentro de ti, tu madre te hizo algo, tu padre te hizo algo." ¡Esto es de una ignorancia total!*

Conocí mucha gente que tenía muy buenas relaciones con sus padres. Luego de ir al psicólogo, todo se desbarató porque el psicólogo atribuía las miserias de sus pacientes a su infancia, simplemente haciéndoles algunas preguntas.

Los psicólogos desconocen una cosa: que cada emoción tiene una sensación en el cuerpo. Una parte específica del cuerpo es afectada con una determinada emoción. Cuando observas las sensaciones físicas, las emociones desaparecen y se disuelven. Cuando observas las sensaciones, te das cuenta que el cuerpo y la conciencia están separados. Si sigues adelante con la observación, notarás que no estás haciendo otra cosa que ligar la sensación con un hecho externo.

La sabiduría es desligar el evento de la emoción y desligar la emoción de la sensación. La ignorancia es ligar cualquier sensación, tristeza, u otro sentimiento a un suceso. Eso te pone más angustiado y pone en marcha el ciclo una y otra vez. Mucha gente se psicoanaliza por años, quince años, veinte años y no sucede nada. Puede que sientan algún alivio durante un par de días porque tuvieron a alguien que les escuchó y habló de todos sus problemas. Le pagas a alguien para que te escuche. La psicología tradicional debe tener algún valor, yo no la descalifico totalmente. Hay algunos valores en ella, pero también digo que hay graves fallas y ya es hora de que se reconozcan. Creo que algunos profesionales ya lo están haciendo, agregando el valor de la meditación, del silencio y la observación.

Lamentablemente, ninguno de los psicólogos que siguieron esta profesión tuvieron contacto con un Buda o algún otro Maestro iluminado en el pasado. Se han escrito volúmenes y volúmenes de libros sin haber siquiera encontrado la profundidad, sin saber lo que es la meditación, la verdadera fuente de la mente.

La mente es ruido, la fuente de la mente es silencio. Por eso Buda dijo: *"No a la mente"*. Lo que no quiere decir que Buda no hubiese hablado. *¿Cómo puedes hablar, interactuar con las personas si no hay mente?* Cuando Buda dijo *"no a la mente"*, quiso decir a la cadena de pensamientos que vagan por nuestras mentes todo el tiempo. Buda se mantuvo en silencio con muchas preguntas porque lo único que hace cada respuesta es empujar un poco más la pregunta. Cada respuesta trae más preguntas creando un sin fin de preguntas - respuestas, pregunta respuesta sin ningún limite. *¡Puede ser eterno!* Si contestas una pregunta, esto acarreará diez preguntas más. Las preguntas y las respuestas son un par, una pareja *¡y no tienen planifica-ción familiar!*

Buda dijo que hay que ir más allá de las preguntas, no tener respuestas, porque tu Ser tiene la solución a to-das las preguntas. Transforma cada pregunta en excla-mación. *¡Oh! ¿Qué diferencia hay entre una pregunta y una exclamación?* Una pregunta crea violencia, la excla-mación crea silencio. Una pregunta busca la respuesta, una exclamación es igual que una pregunta pero no exi-ge respuesta. *¿Ves lo que estoy diciendo?* El asombro en la exclamación no busca ninguna respuesta. La exclama-ción te lleva a casa, al silencio. La pregunta crea violen-cia. Si alguien te hace una pregunta, *"¿a dónde vas?"* Simplemente sonríele, no contestes. Te preguntará por segunda vez, *"¿a dónde vas?"* Nuevamente, sonríele. La tercera vez, alzará su voz y te dirá *"a dónde vas, te es-toy preguntando, ¡vamos, contesta!"* Cuando haces una pregunta, estás demandando. En la mente de todo de-lincuente hay una gran pregunta, *"¿Por qué esto es así?"* Cada angustia está asociada con la pregunta, *"¿Por qué a mí?"* La alegría se asocia a la exclamación.

Las prácticas que hacemos, en sánscrito se denominan *"sadhana"*, son para transformar las preguntas en excla-maciones. Tal como dijo Buda, existe la posibilidad de li-berarse de las angustias. Hay un camino, vengan, siénten-se y mediten. Durante su época, cuando había tanta pros-

SRI SRI RAVI SHANKAR

peridad en la India no había demasiado que hacer. Todos
poseían demasiado. Fue en aquellos tiempos que Buda
les entregó un tazón para mendigar a sus principales discípulos y les dijo: *"Vamos, vayan a mendigar"*.

Lo peor que hay para una persona habilidosa e inteligente, es salir a mendigar comida. Él hizo que reyes y
príncipes se pusieran harapos y tomaran un tazón en la
mano para salir a mendigar. Príncipes, reyes, hombres
de negocios, industriales, gente inteligente de todas partes del mundo. *¿Buda se burló de ellos?* No. No lo hizo
porque necesitaran comida, lo que él quería era que se
volvieran completamente huecos y vacíos. El ego que
dice *"yo soy alguien, ¿cómo puedo mendigar?"* Buda les
dijo, *"No, te transformas en nadie"*. Era nada más que
para darles una lección, para que pusieran en práctica el
principio de que somos uno con todos y no eres nadie,
eres insignificante en este universo, por eso los hizo
mendigar.

Después de todo, *¡tu vida no es nada!* Cien años de
vida *¿qué son?* Una gota en el océano. Han pasado billones de años desde el comienzo del cosmos. En los
tiempos antiguos de la India, la gente ya conocía muy
bien la astronomía y la astrología, las matemáticas, el
concepto de cero, la geometría, la trigonometría, todo
esto ya se ponía en práctica. A veces suena ridículo
cuando creemos que el teorema de Pitágoras se descu-

brió en el siglo dieciséis. No es así. Este mismo conocimiento ya había sido mencionado mucho tiempo atrás, diez mil años atrás, todas las leyes del triángulo, la trigonometría, la geometría, las matemáticas, las raíces cuadradas. Hay un montón de matemáticas y cálculos en los libros védicos.

Por aquellos tiempos ya sabían la edad de esta tierra, cuantas yugas (medida de tiempo) habían pasado. Habían calculado alrededor de cuatro billones y medio de años para un manmantra, (medida de tiempo) y muchos de estos manmantras hacen un kalpa (medida de tiempo aún mayor) y así sucesivamente.

Si a la gente con esa gran inteligencia, a esos genios, les pidió que tomasen un tazón y fuesen a mendigar, sólo imagínense: *¿cómo terminaron esas personas?* Se transformaron en la encarnación de la compasión. Observa las sensaciones, las emociones y observa tu verdadera naturaleza. *¿Cuál es la verdadera naturaleza?* La paz, la compasión, el amor, al amabilidad y la alegría. El silencio hace surgir todo esto. El silencio se traga la tristeza, la culpa, la miseria y da a luz a la alegría, la compasión y el amor.

Así fue exactamente la vida de Buda. Él les quita las angustias, la culpa, el miedo, la arrogancia y la ignorancia y les dio sabiduría, fuerza, belleza, Conocimiento y paz. Y ahora esto está disponible para ti, aquí y en todas partes. Todos pueden disfrutar y atravesar el océano del samsara (ciclo de renacimientos), el océano de las angustias.

Pregunta: Usted nos preguntó cómo podría probarse la iluminación. Como científico y místico que soy, diría que no hay diferencia entre Buda bajo el árbol en Bodhi o Newton sentado bajo un manzano. Newton dio pruebas de su iluminación compartiendo sus puntos de vista en la naturaleza.

Todo lo que se prueba puede ser desaprobado. La prueba y la no prueba pertenecen a una pequeña zona de nuestro cerebro o conciencia. Porque para cada prueba, para cada conclusión, tienes una serie de explicaciones lógicas o pasos de descubrimiento y jamás se pone a prueba del tiempo. Algo que es tan inmenso, más allá de la prueba, es la realidad, la verdad. Es por eso que Dios no puede ser probado, no hay ninguna prueba de que haya o no haya Dios.

Sólo una parte específica en el cerebro está activa, esa parte quiere prueba o no prueba. Por eso la ciencia llegó a la teoría de la relatividad: todo aquello que percibes puede ser o no ser, porque el sujeto está involucrado en la percepción. Cuando hay un sujeto, se involucran presunciones en la percepción. Cualquier teoría o prueba, tiene ciertas presunciones porque no puedes ir más allá, y cualquier presunción podría ser errónea. Es muy científico decir que algo no puede ser probado.

Pregunta: Hace unos veinte años estuve en este mismo auditorio, sentado en el mismo lugar donde está usted ahora, estaba J. Krishnamurti. Él habló sobre la meditación y dijo que la única meditación verdadera es cuando no hay mantra (sonido) y que existe un conflicto entre meditación con mantra y meditación sin mantra. Tal vez pueda decirnos algo al respecto.

J. Krishnamurti se rebeló contra cualquier enseñanza técnica u organizada. Mantuvo esa rebelión durante un largo tiempo, aunque no hasta el final. Justo antes de morir, llamó a unas cuantas personas y les preguntó acerca de los mantras y los conocimientos sobre ese particular.

Poniendo eso a un lado, hay muchas técnicas, muchos métodos o no-métodos para meditar. Desde donde partía Krishnamurti está bien decir, dejen de lado los métodos y los mantras, no son necesarios, pero tengan presente, que la instrucción es también otro método. No usar mantra es un método, pero lo fácil o difícil que puede ser para cualquier persona utilizar ese método, eso es otra cuestión. También algunos dicen que la meditación debería hacerse sin apoyo para la espalda, pero muchos que lo han hecho utilizando algún tipo de soporte o algo para recostarse, han logrado muchas más cosas en la vida que aquellos que siguen peleando para hacer meditación sin soporte alguno.

El uso de un mantra es esencial para comenzar, pero luego, a determinado nivel, puede que ya no lo necesites. Pero también las instrucciones de cómo meditar cambian. Si decimos, *"esto es lo que necesitas"*, y en otro momento decimos, *"no lo necesitas"*, es como subir a un autobús en determinado lugar y decir *"baja del autobús"*. El lugar donde subes al autobús y el lugar donde bajas del autobús será un lugar diferente.

Si alguien está atrapado con un mantra, haciendo un mantra constantemente, le diría que *¡pare!* He visto a personas pasar cintas con mantras todo el tiempo, veinticuatro horas al día. La mente se confunde tanto con todos los mantras, que se vuelven incapaces de enfocar y hacer alguna actividad, la mente se vuelve muy apagada. Para usar un mantra hay métodos apropiados. Por la experiencia de J. Krishnamurti, lo que él dice es auténtico, tenía razón, pero cuánto ayudaron sus instrucciones a la gente en el mundo, en la sociedad (contra los monjes recluidos), esto hay que considerarlo. La gente se ha sentado a escuchar charlas espirituales por veinte, treinta, cuarenta años, pero todavía no tiene idea de cómo relajarse y penetrar en la fuente de la existencia.

Pregunta: Sri Sri, ¿podría comentar sobre el efecto de la comida, aquella que crea desbalance vata y el efecto en la quietud y el auto-conocimiento?

Claro. Un contemporáneo de Buda en la tradición Jainista, hizo muchas investigaciones al respecto, describiendo qué tipo de comida es buena, qué efectos produce en el organismo, que comida tiene efectos calmantes, cuál es euforizante, excitante. Por supuesto que la comida tiene un efecto, pero es secundario, no es la influencia primaria. No tienes que cambiar radicalmente tus hábitos alimentarios cuando comienzas a meditar. Al meditar, querrás seguramente ingerir algo que te haga bien, armonice tu organismo y que te ayude a estar más equilibrado mental y físicamente.

Pregunta: ¿puede hablar del vacío y cómo alcanzarlo?

(Pausa larga en silencio) *¿Lo has entendido?*

Pregunta: ¿Le gustaría hablar un poco sobre la iluminación?

La iluminación es pasar de ser alguien a transformarse en nadie. Ese es el primer paso. Vamos por ahí siendo alguien, me gusta esto, no me gusta esto, odio esto, amo aquello. En el primer paso, sentimientos fuertes de odio o de ansiedad se desatan en ti. Te vuelves como un niño. El segundo paso hacia la iluminación es pasar de ser nadie a ser todos. Pasar de ser alguien a no ser nadie y de no ser nadie a ser todos, eso es la iluminación.

Capítulo XI

Las seis distorsiones del amor

El mundo entero está hecho de amor, y todos estamos hechos de amor. Oíste esto antes, todo es Dios y todo es amor. Entonces, *¿Cuál es el propósito de la vida, si ya todo es Dios? ¿Hacia dónde se dirige la vida?*

La vida se dirige hacia la perfección. Todos quieren perfección, pero si todo es Dios, o amor, *¿no es perfecta ya?* No, porque el amor tiene seis distorsiones. Aunque toda la creación es amor, este amor tiene seis tipos de distorsiones, que son: la ira, la lujuria, la codicia, los celos, la arrogancia y el engaño.

El espíritu es amor puro, la materia es distorsión. Los seres humanos están dotados de discriminación. Uno va de las distorsiones al amor puro. Este es el propósito del sadana –todas las prácticas como la meditación, el yoga y las técnicas respiratorias– para ir de la distorsión de la creación, a la pureza, ir de vuelta a la fuente. Hay tres clases de perfección. Una es la perfección en la acción, la otra en la palabra y la tercera es la perfección de sentimientos.

Hoy en día, encontrar las tres formas de perfección en un solo lugar es algo muy raro. Algunas personas pueden hacer muy buenas acciones, pero interiormente son muy quejosas y enojadizas. A pesar de que están haciendo cosas maravillosas exteriormente, en el interior, al nivel de sus sentimientos no son perfectos. Otros pueden ser mentirosos y tal vez su discurso no sea perfecto, pero hacen bien su trabajo, o se sienten bien e interiormente su sentimiento es muy bueno. Un medico le puede decir a su paciente, *"No se preocupe, su enfermedad es curable"*, pero él sabe que eso es mentira. Su discurso no es perfecto pero la intención que esconde es buena.

Los padres solían contarles a sus hijos que una cigüeña traía los bebés. Les decían una mentira porque los niños no pueden comprender la verdad. Aquí una vez más la palabra es imperfecta, pero la intención, el sentimiento detrás de esa palabra era perfecto. Si alguien dice una mentira con mala intención, entonces tanto el sentimiento como el discurso son imperfectos y la acción reflejará dicha imperfección.

Supón que alguien comete un error, si te das cuenta del error y esto te causa enojo, no eres mejor que la persona que lo cometió. Como la acción era imperfecta, tus sentimientos se volvieron imperfectos y están en el mismo lugar que el otro. La acción no puede ser perfecta nunca; cualquier acción tendrá una falla aquí o allá o en algún momento o lugar. A nivel de los sentimientos puedes ser perfecto, pero si estos se vuelven imperfectos, se mantendrán así por un tiempo más prolongado. Una acción o la palabra imperfectas, ocurren y terminan pero los malos sentimientos pueden quedarse por un largo período.

Cuando ves una imperfección, o ves que se comete una injusticia con alguien, *¿cómo lo manejas?* Si a causa de la injusticia hierves por dentro, entonces te has vuelto más imperfecto. Al menos protege tu perfección interior y la perfección de tu palabra, entonces estarás en mejores condiciones de convivir con las imperfecciones externas. La perfección interior, la paz interior, deben ser nuestra primera prioridad. De cualquier manera, afuera, en el campo de la acción, la perfección completa no es posible.

Lo que la gente suele hacer generalmente es ir de una imperfección a otra. Algunos son codiciosos, entonces el otro se enoja a raíz de esa codicia. Aquel será codicioso pero tú no eres menos que ese pues no estás creando pureza, sólo le cambias el sabor a la impureza. Ir de una distorsión a la otra no trae perfección. Comúnmente, todos hacen lo siguiente: cambian simplemente la distorsión y piensan que su distorsión no es tan mala como la del otro. Vemos la lujuria en alguien y nos ponemos celosos. Los celos se transforman en ira, la codicia se vuelve en arrogancia o en engaño. Nada más, solo vamos pasando de una imperfección a otra.

Salva y protege tu mente a toda costa. La forma de manejar la mente es ver que cada acción está sucediendo de acuerdo a alguna ley. Si te fijas en diferentes acciones, encuentras imperfecciones, pero no tienes que dejar que esas imperfecciones entren en tu corazón, en tu *Ser.* Hemos visto a mucha gente luchar por más derechos, femeninos, civiles, lo que fuere. La causa por la que luchan puede ser buena pero vemos en ellos demasiada ira. Si te enojas, tu ira no es mejor que la arrogancia del otro. Ninguna de las seis imperfecciones es mejor que cualquier otra.

Cuando hacemos sadhana, prácticas, mantenemos la perfección interior de modo tal que ya no somos sacudidos por los pequeños sucesos que ocurran aquí y allá. Si alguien te riñe, o te insulta, está bien, esas palabras son imperfectas, pero no creas que el sentimiento también lo es. No veas intención detrás de los errores de los demás. Cuando vemos mala intención detrás de los errores de los otros, nuestra mente está llenándose de más impureza. Reemplazar una impureza por otra no las mejora ni las hace más puras, sólo empeora las cosas.

Toda la *Creación* está hecha de naturaleza y de distorsión de la naturaleza. La ira no es nuestra naturaleza; es una distorsión de nuestra naturaleza. Los celos no son nuestra naturaleza, son también una distorsión de nuestra naturaleza. *¿Por qué decimos que esto es impuro? ¿Por qué la ira, la codicia, los celos, la lujuria son impuras?* Ya están en la naturaleza. Si molestas a un perro, verás cómo se enoja. Estas seis distorsiones están presentes aun en los animales. *(Los animales no tienen forma de superar estas distorsiones porque están regidos por la naturaleza).*

Si molestas a un niño, verás cómo se enoja. La lujuria existe en la naturaleza, en realidad todo proviene de la lujuria en la naturaleza, todos nacemos de la lujuria. Los deseos están ahí, son parte de la creación. Entonces *¿por qué decimos que son distorsiones? ¿Por qué son impuros?*

Estas cualidades son impuras porque no permiten al Ser, a la verdadera naturaleza de uno mismo, brillar. El miedo no permite que brille el espíritu. Cualquier cosa que empañe el Ser, que le impida brillar, decimos que es impura, que es pecado. El pecado no está en tu naturaleza, no naces del pecado. El pecado no es otra cosa que una arruga en la tela. Una arruga sólo necesita de un planchado apropiado y se estira.

¿Por qué es un pecado la lujuria? Porque en la lujuria, no consideras vida. En ese estado no honras la vida, usas a esa persona solo como a un objeto, es un objeto de tu placer. Cuando sientes lujuria no ves el Ser en la otra persona, esta es la única razón por la cual la lujuria es un pecado.

El amor es lo contrario de esto. En el amor hay entrega, ves a la otra persona como divina, como algo más elevado. Elevas la materia al nivel del espíritu. Hasta un ídolo o un símbolo, una estatua, un cuadro o una cruz, aunque sean tan sólo materia, cuando los adoras, se transforman en una realidad viviente, les has dado vida. Los elevas al nivel de Dios, del amor, yendo hacia la perfección. La ira es un pecado porque, cuando te enojas estás desequilibrado, no puedes ver el Ser y tu enfoque no está en lo divino, lo infinito. Reduces las cosas a objetos. Por eso la ira, los celos y la culpa son pecados.

La culpa es un pecado porque no reconoces al Ser como el único hacedor en el mundo. Cuando piensas que "tú" estás haciendo algo, estás limitando la mente pequeña a las acciones que han ocurrido. Esto es un *Conocimiento* muy profundo. Tienes que estar agradecido por haber sido dotado de las cualidades que tienes, porque no han sido hechas por ti. De la misma forma, lo que tienes, depende del rol que te ha tocado interpretar. Imagina que te dan un papel en una obra, un drama, te toca la parte del villano y la interpretas perfectamente. El villano sabe que no es nada más que un papel que está siendo interpretado, por más que lo haga muy sinceramente.

Un antiguo dicho sánscrito dice, *"en primer lugar admira al hombre malo y luego al bueno, porque el malo está cayendo y dándote un ejemplo de lo que no debe hacerse a costa de su propia vida"*. No odies a un delincuente encarcelado porque sea delincuente. El delincuente es también la encarnación de Dios y te ha hecho un gran favor, dándote semejante lección de lo que no debe hacerse. Le ha sido dado un papel y él solamente lo está interpretando. Cuando entiendes esta ley básica de la verdad, tu perfección interna se vuelve tan estable que nada en este planeta la podrá sacudir. Nada puede sacudirte.

Cuando hay imperfección en la palabra, debes ver más allá de la palabra, del sentimiento que está tras lo que se dice. Si alguien te miente, o dice algo de mala manera, por ejemplo, una madre que le dice a su hijo, *"¡vete, no me molestes!"* La madre no quiere decir realmente eso. Si el niño en verdad se fuera, la madre sufriría. Si puedes ver la buena intención tras la imperfección de la palabra, no te harás imperfecto en tus sentimientos.

Guardaras tu perfección interior y estará protegida y a salvo. Si ves que alguien es deshonesto y te enojas por ello, entonces no hay esperanza.

La psicología tradicional tiene una gran falla al decir que en lo más profundo tuyo tienes miedo, culpa e ira. Yo digo que estos psicólogos no saben nada sobre la mente o la *Conciencia*. Yo te aseguro que muy dentro de ti hay una fuente de dicha, una fuente de alegría. En lo más profundo de tu Ser, en el mismo núcleo de ti mismo hay verdad, luz, amor, allí no hay culpa ni miedo. Muy dentro de ti todo es grandioso y hermoso. Los psicólogos jamás llegaron lo suficientemente profundo.

Las cualidades del miedo, la ira y la culpa están en la *prakriti* (la naturaleza, la materia), pero no son otra cosa que distorsiones de la *prakriti*. Hasta Jesús se enojó dos veces. Utilizó su ira para echar a la gente del templo. En una ocasión, Krishna rompió su promesa, había dicho que jamás tomaría un arma en su mano, pero en el *Mahabarata* (libro védico épico), cuando se hizo imposible vencer a Vishma, tomó el sudarshan chakra (un arma) en su mano y dijo: "*Acabaré contigo ahora, ¿vas a rendirte ahora o no?*" Tal era su ira.

¿Qué significa eso? Cada emoción, cada sentimiento y sensación te lleva al más profundo florecimiento, a la más profunda perfección. No debes buscar la perfec-

ción en la acción. Cuando un médico opera a un paciente, le abre el estómago o el pecho, lo que sea, le clava un cuchillo, pero su intención es completamente diferente. Mucha gente muere en una operación. Todas las acciones conllevan defectos. Si haces caridad con la gente, hay algo negativo en eso: les estás haciendo disminuir la autoestima. Todas las acciones tienen sus propios defectos. La perfección en la acción es posible hasta cierto grado, la perfección en la palabra es posible hasta un mayor grado y la perfección en el sentimiento es posible al grado máximo.

Cuando llegan las distorsiones, no les des importancia, porque cuanta más atención les pongas, eso crecerá más en ti. Si le das más importancia a la ira, a la codicia o a la lujuria de alguien, no sólo estarán en aquella persona sino que también atraparán tu mente. La diferencia con los animales es que ellos tienen sexo y se terminó, no se quedan pensando en eso todo el año hasta la temporada siguiente. Un hombre sigue con eso en mente todo el tiempo.

Es lo que dice Krishna en varias partes del Bhagavad-Gita, *"¿Qué ha ocurrido con tu mente Arjuna? Si nutres estas vikaras (distorsiones) dentro de ti, irán pasando de una a la otra. De una impureza a otra impureza y se sigue multiplicando dentro de ti. Relájate y ve que yo soy el único hacedor y que las cosas simplemente están ocurriendo en el mundo. Mira todo como si fuera un sueño, un drama de teatro".* Esta es la única forma en que podrás mantenerte equilibrado.

Hay un cuento en el Ramayana, donde el Señor Rama necesitaba la ayuda de Garuda, uno de sus devotos, en un momento en que se encontraba bajo el hechizo de una flecha envenenada y Garuda lo salvó. Luego de haber hecho esto lo atormentó la duda, *"Durante todos estos años yo creía que Rama era mi salvador. Yo creía que él me salvaría, pero si yo hoy no lo hubiese salvado, podría haberse muerto. Hoy necesitó de mi ayuda; yo lo salvé. ¿Cómo puedo depender de él? Al parecer soy más poderoso que él, parece que él es alguien común porque de no haber sido por mí él habría muerto, él y su hermano habrían muerto en la guerra".*

Cuando esta duda acosó a Garuda, lo carcomía. Cuando la duda comienza a dominar la mente, la Conciencia comienza a disminuir. La duda es algo que te puede comer y destruir. Cuando la duda entra en el alma, se dice que esa persona no tendrá éxito en este mundo ni en el siguiente, ni en el mundo interior. Tal era la duda de Garuda que se sentía sumamente perdido porque toda su fe se había sacudido. *¿Qué hacer ahora?* No podía ir a contarle a Rama que había dudado de seguir siendo su devoto porque ahora percibía que él era más débil. No se animaba a ir a preguntárselo, así que silenciosamente fue a preguntarle a Narada, otro Maestro iluminado y autor de los *Bhakti Sutras*. Narada le dijo a Garuda que fuera a preguntarle a un determinado cuervo en los Himalayas. Le dijo que fuera y se sentara a los pies del cuervo y que aprendiera. Esto fue muy humillante para Garuda, porque Garuda era considerado el rey de los pájaros y ahora tendría que ir al inferior de los pájaros buscando consejo.

La moraleja de esta historia es que Garuda tuvo que abandonar completamente su ego e ir a sentarse a los pies de un cuervo para aclarar sus dudas. El cuervo le dijo entonces a Garuda, *"Oh, tonto, el Maestro te elevó tanto dándote la oportunidad de servirlo de esa manera. ¿No te das cuenta? Es tan obvio. Su amor por ti era tan grande que él se rebajó y te elevó para que pudieras sentirte mejor al servirlo, diciendo que lo habías salvado. ¿Qué podía salvar a Rama? Él es el sabio de toda la Creación".* El cuervo le dio una buena lección.

Con este *Conocimiento*, su duda y su ego se desvanecieron y volvió al maestro y comenzó a servirlo. La humildad volvió a Garuda y la humildad es la perfección del alma, del *Ser*.

Los pecados no están en la profundidad de nuestro *Ser*, son solo superficiales. Ni siquiera están a flor de piel. Es por eso que en la antigua India había un dicho que decía: *"Si has hecho algo malo, ve al Ganges y bebe*

SRI SRI RAVI SHANKAR

un sorbo. Así como el jabón te limpia la suciedad, el pe-
cado es tan superficial que también será lavado". Con
un sentimiento desde el corazón o la plegaria sincera estarás aliviado del pecado. La conciencia de haber cometido un error viene cuando eres inocente y tomas conciencia de un error en el momento en que ya te liberas-
te de él.

El pasado ya fue, cualquiera haya sido el error cometido. En el presente, no te consideres un pecador o el
hacedor de aquel error, porque en el momento presente eres nuevamente otro, puro y claro. Los errores del
pasado son pasado. Cuando llega el *Conocimiento,* en
ese mismo momento eres nuevamente perfecto.

Muchas veces las madres se enojan y riñen a sus hijos, pero luego dicen: "*pobrecito, me enojé tanto, no de-*
bería haberme portado así". Y se lamentan y lamentan
y esto las prepara para enojarse nuevamente. Todas estas cosas son parte de la vida, déjalas pasar, termina con
esa queja. Te enojas con tu hijo porque no estabas consciente de ello, apareció la ira, y ya está. Esto pasa pero
ahora ya se terminó.

Fíjate que tú no eres el hacedor. Es lo que Krishna le
dice a Arjuna, "¿crees que no harás lo que se supone que
tengas que hacer? Te digo que lo harás, aún sin quererlo,
lo harás". En una línea muy inteligente, dice, "*Es mejor*

que te entregues a mí, deja todo, entrégate a mí y haz lo que te digo". Luego le dice: *"Te dije lo que te tenía que decir, ahora piénsalo y haz lo que quieras. Haz como quieras, pero recuerda, sólo harás lo que yo quiera que hagas".*

La gente ha luchado por darle sentido a estas pocas frases. Hay miles de comentarios tratando de darle un sentido a estas pocas palabras. Tres declaraciones contradictorias: entrégate y haz lo que yo digo; piénsalo y haz lo que creas que es correcto; recuerda que sólo harás lo que yo quiera que hagas.

Mi innata unión a esta creencia de que somos los que hacemos las cosas, existe para que eliminemos nuestra inercia. Cuando eliminas la inercia eres impulsado a la actividad. Cuando alcanzas el más alto nivel de realización ves todas tus acciones, te ves testigo de la acción. Sabes que no eres el que hace; las cosas sólo ocurren automáticamente a través tuyo.

Mucha gente ha tenido sentimientos similares. Entre las personas muy creativas esto se da. Ellos se dan cuenta y dicen: *"Yo no hice nada, no sé cómo ocurrió, simplemente comenzó a fluir, surgió por sí solo".* Todo trabajo creativo en el mundo, ya sea pintura, drama o música, todo surge de aquel espacio desconocido, comienza a fluir espontáneamente. Lo mismo es cierto también con los delincuentes. Si le preguntas al peor delincuente: *"¿por qué cometiste este crimen?"*. Frecuentemente contestará que no sabe cómo ocurrió, simplemente ocurrió.

Recientemente hemos dado cursos del *Arte de Vivir* en diferentes prisiones. Los prisioneros no son bestias, hay mucha gente hermosa en las cárceles. Están asombrados por el crimen que cometieron. Muchas veces no creen en lo que hicieron. Los peores delincuentes no creen lo que han hecho. Ellos también están en condiciones de darse cuenta de que simplemente ocurrió. Este *Conocimiento* sobre quién es el verdadero hacedor, el comprender que uno no es el hacedor, es lo único que puede llevarte de la imperfección a la perfección.

Pregunta: Sri Sri, ¿Cómo podemos deshacernos rápidamente de nuestros hábitos?

Cuando sufres por tus malos hábitos no te justifiques. Lo que hacemos por lo general, es justificar nuestros malos hábitos. Sin justificarlos, si realmente sientes un pellizco por ese hábito, si de verdad estás harto de él, cuando llegas a ese punto, el sufrimiento por esa costumbre indeseada se transforma en una especie de plegaria para ti y en ese momento el hábito se va. También con más prácticas, más meditación, más yoga, pranayama, y *Sudarshan Kriya*, pueden cambiar estos hábitos.

En algunos casos, y para ciertas costumbres, la buena compañía ayuda. También ayuda el mantenerse ocupado en tareas creativas. Los fumadores empedernidos fuman menos cuando tienen mucho que hacer. Cuando no tienen nada que hacer, fuman un cigarrillo tras otro. Manteniéndote totalmente ocupado se disiparán la mayoría de tus hábitos indeseados.

O también puedes sufrir por tus malos hábitos, siente realmente el mal que te producen, entonces sucederá la entrega, la plegaria brotará en ti. Cuando aparece la plegaria, algo cambia en tu organismo y surge el amor y el hábito se va.

Capítulo XII

Vivir el máximo potencial de la vida

Hay dos clases de mentes: una es la mente abierta y la otra es la mente cerrada. Una mente cerrada dice *"esto es así, lo sé y se terminó"*. Una mente cerrada se endurece. Pero una mente abierta dice *"puede ser, tal vez, no sé"*. Cada vez que te parece entender una situación la rotulas diciendo *"yo sé que esto es así"*, este es el comienzo de tu problema. Los problemas siempre surgen por pensar que sabes algo, sin verdaderamente saberlo. Si no sabes, tu mente está abierta y admites *"está bien, puede ser, quizás, tal vez, no lo sé"*. Esperas. No puedes etiquetar algo cuando reconoces que no sabes.

Cada vez que piensas que se cometió una injusticia contigo, o cada vez que piensas que estás sufriendo, o crees que eres víctima de algo, todas estas situaciones las ubicas bajo la categoría de *"Lo sé. Las cosas son así"*. Cada vez que ponemos un rótulo de *"no bueno"*, viene de tu *"creer que sabes"*. El sufrimiento es producto de un Conocimiento limitado. Una pregunta es una señal de Conocimiento limitado. Cuando hay asombro, paciencia, alegría, estás en un estado de *"no sé"*, la vida pasa del limitado *"yo lo sé"* a un estado abierto a todas las posibilidades.

El creer que tú conoces el mundo es el mayor problema. Este no es simplemente un mundo. Hay muchas capas en esta existencia. Si te enfadas lo haces por una razón. Se está tirando de otra cuerda. Cuando tu mente está abierta a todas las posibilidades y algo ocurre entiendes que puede haber habido muchos motivos para que ese hecho haya ocurrido de esa manera. Las posibilidades no provienen únicamente del aspecto tosco, burdo de la existencia, puede haber otras causas más sutiles.

Supón que llegas a casa y descubres que tu compañero de cuarto ha hecho un gran desorden en tu departamento. Te empiezas a sentir muy irritado. Piensas que el motivo, la causa de tu enojo, es por tu compañero de cuarto y el desorden. Sin embargo, podría ocurrir que el enfado venga por algo más en el espacio sutil. Tal vez hubo algún enojo de alguien que creó esas vibraciones en ese espacio. En ese momento, hay algo más en el aire, pero tú sólo puedes ver a la persona que creó el desorden alrededor tuyo y le atribuyes todo ese enojo a esa persona. Así es como funciona la mente limitada.

Cuando le agregamos emociones a los individuos, el ciclo continúa y nunca te librarás de eso. Hay un paso que podemos dar para librarnos de este ciclo. En primer lugar, separaremos la emoción de la persona y el suceso del espacio y el tiempo. Esta es la ciencia denominada astrología. La astrología es el conocimiento de unicidad del universo.

Si te pinchas la mano con un alfiler, todo el cuerpo, todas las partes del cuerpo lo saben, lo sienten inmediatamente. El simple pinchazo de un alfiler en la mano se siente en todo el organismo porque cada célula está conectada con todo tu cuerpo. Del mismo modo, nosotros estamos conectados con todo el universo de la creación, con todos los demás. En un nivel muy sutil podríamos decir que existe una sola vida en este universo. Aunque pareciera haber muchas, a medida que profundizas más y más ves que hay una sola existencia: la divina.

Los sabios nunca catalogan a los individuos, o para decirlo de otro modo, para el ojo inteligente, la existencia individual cesa. Sí, en un determinado nivel todo es negocios, individuos, las personas son diferentes, los hay jóvenes, viejos, inteligentes, sabios, apagados y de todo tipo. Es solo en este nivel que las personas son diferentes, pero en un nivel más profundo sólo estás tú. Sólo tú y nada más que tú.

Pregunta: En el pasado le oí decir que nunca se nos da un problema sobre el cual no sepamos ya la respuesta. ¿Podría hablarnos sobre el fracaso?

Nunca se nos aparece un problema que no seamos capaces de manejar. Cada problema que se nos presenta es para que nos demos cuenta de las habilidades que tenemos. Cuanto más podamos dar de nosotros mismos, más habilidad, talento y alegría podremos demostrar. Eso es lo que muestra. Los problemas hacen funcionar nuestra mente, nuestra inteligencia. *¿Cuándo necesitamos realmente inteligencia?* Cuando hay problemas. Si no existieran los problemas, podríamos ser como las vacas. Las vacas no tienen problemas. Comen pasto, toman agua y duermen. Entonces si la vida fuese tan fácil, sin ningún desafío, únicamente comerías y dormirías y te volverías cada vez más y más burdo. Dios te ha dado el cerebro para que lo uses y estés alerta. Cada problema existe para que hagamos uso de nuestro cerebro.

En cambio hacemos lo contrario. O bien no usamos el cerebro y nos metemos en más dificultades, *¡o utilizamos el cerebro para crear mayores complicaciones en lugar de solucionarlas!* Si tenemos un problema, en lugar de buscar la solución continuamos viendo cuán grande o cuánto peor podría ser. No le devuelvan a Dios el cerebro sin usar.

¿A qué consideras un fracaso? Con frecuencia algo que consideras un fracaso más tarde termina siendo un éxito. Cuando eras niño querías ser camionero. Al crecer, te viste forzado a convertirte en médico y más tarde te diste cuenta de que fue una buena elección. Da un vistazo hacia atrás y verás que las situaciones que considerabas fracasos, se debían a que tenías una visión limitada y a corto plazo de la situación. A la larga, cada fracaso ha contribuido a tu crecimiento o a hacerte más fuerte y más centrado. Cada fracaso contribuyó de manera muy positiva en alguna parte dentro de ti. Es muy interesante. Tienes que mirar las situaciones a través de un prisma diferente.

Pregunta: ¿Cómo renuncia uno a aquello que es lo más preciado y lo más querido, como a la propia esposa? ¿Debería renunciar a Dios o al maestro?

A cualquier cosa que ames mucho, en demasía, lo sofocarás. Cuando hay una pausa, de vez en cuando, el amor no disminuye, crece. *¿Lo has notado?* Tener una pausa en las relaciones crea espacio para que crezca el anhelo. El anhelo y el amor son dos caras de la misma moneda. Van juntos. Si destruyes por completo el anhelo, el amor se debilita cada vez más. Aunque parezcan totalmente opuestos, se complementan el uno al otro. Cuanto más alto quieres que sea el edificio, más profundo deberás hacer los cimientos.

Cuando das un poco de espacio, crece el anhelo en ti, ya sea por tu esposa, por Dios o por el Maestro. Cuando hay anhelo, tu amor se vuelve realmente fuerte, poderoso, inamovible. De lo contrario dudas. Todos están enamorados en el mundo. No hay una sola persona que no esté enamorada. La gente ama esto o aquello, a esta persona o esa otra, a esta cosa o a aquella; todos están enamorados de algo. *¿Entonces, por que hay tantos angustiados que sienten que jamás comprendieron el amor?*

¡Para que la vida sea más divertida debe tener muchos sabores! Entonces hay más diversión. Si todo fuese suave y apacible y todos sonriesen todo el tiempo, sería realmente aburrido. Imagínate una obra de teatro donde todos sean buenos y muy inteligentes, donde no ocurran hechos desafiantes. Imagina una novela sobre una persona muy buena que no tiene problemas. *¿Tiene alguna trama eso?* Si simplemente esa persona se despierta en la mañana y todo el día transcurre sin sobresaltos y se va a dormir por la noche y las cosas son realmente livianas, no sería una trama. En realidad todos los cuentos que hay son sobre malos, *¡y no les digo que sean delincuentes!* Sólo que acepten que es preciso algún condimento en la vida. Cada vida es como una novela y cada vida es interesante.

¡Todo es tan hermoso a través de los ojos divinos! To-

do es perfecto tal como está si lo miraras con una visión más amplia. Entonces realmente podrías disfrutar de este lugar llamado Tierra. Querrías volver una y otra vez. *¡La vida es una obra de teatro, un juego!* De lo contrario, dirás, *"ya basta, para mí es suficiente. No quiero volver"*. Mira los niños. Juegan, se pelean, gritan, hacen de todo y luego quieren volver a jugar. Quieren sentirse como ellos *¿no?*

Pregunta: ¿Cómo puedo sobreponerme al sentimiento de que estoy perdiendo el tiempo? Siento que estoy esperando a que ocurra algo mejor, o a que no ocurra nada en lugar de estar en el momento presente.

Cada vez que pienses que estás perdiendo el tiempo, en ese momento es cuando te has vuelto más consciente. Te has puesto alerta. Relájate en ese alerta. Eso es meditación. Muchos de ustedes lo han experimentado. Han oído decir a los Maestros: *"Vivan en el momento presente"*. El simple hecho de escucharlo no significa poder vivenciarlo. Pero alguna vez, en algún lugar, puede que sea viajando por tren, caminando por la playa, o sentado comiendo spaghetti en un restaurante cuando de pronto algo te sacude, *"¡Oh, esto es estar en el momento presente!"*.

Lo que habías oído, de pronto hizo vibrar una cuerda muy dentro de ti, *"¡Ahora entiendo de qué se trata!"*

Lo que oíste te llevó tiempo en transformarlo en experiencia. El conocimiento entró en olas por la mente y cuando comienza a dar frutos entonces se transforma en tu riqueza. Se hace parte tuya.

Por esto pongo tanto énfasis en que mantengas el camino una vez que lo comenzaste. No vayas de aquí para allá de compras espirituales. *¿Por qué vas?* Porque has oído decir al Maestro, que te llevará algo de tiempo hasta que se haga realidad en ti y que pase a formar parte de tu vida. Es como al plantar una semilla. Una vez sembrada, se transforma en planta y luego comienza a dar frutos. Mientras tanto si comienzas a plantar otras semillas en ese lugar o a sacar las primeras nunca obtendrás nada. Nada echará raíces.

No quiere decir que el Maestro necesite seguidores o gente que quiera estar ahí con él. Haz que ese *Conocimiento* forme parte de ti, permítele germinar en ti. En algunos sucede enseguida. A otros les lleva un poco más de tiempo.

Pregunta: Todo lo que deseo viene a mí, pero son pequeñeces, cosas inútiles. ¿Qué vale la pena desear?

Todos los deseos son sobre cosas pequeñas que no tienen valor. Aquello que vale la pena desear ya lo tienes. Ya estás en eso.

Pregunta: Cuando le ofrecemos todo a Dios ¿es a través de nuestros pensamientos, de nuestros sentimientos, o a través de ambos? ¿Hay alguna forma de hacerlo más efectivamente?

No lo compliques. De todas maneras no hay nada que puedas ofrecer porque nada en verdad te pertenece. Yo digo *"ofrécelo"*, porque tú crees que te pertenece. Te aferras a las cosas y te preocupas por cómo deberías manejarlo. Yo te digo, *"ofrécelas"*, así descargas tu cabeza. Es como si alguien viajara en tren cargando el equipaje sobre su hombro. ¿Qué dirías? *"Baja el equipaje y descansa"*. Tú estás en el tren. El tren está llevando el equipaje.

Es solo para quitarte ese peso que decimos: *"ofrécelo"*. Ya estás en el tren, así que siéntate y relájate. No seas avaro y trates de averiguar cuál es el modo más efectivo, no importa. Hay cierta tendencia en algunos de nosotros en buscar la perfección en todo lo que hacemos. Se nos dijo desde que éramos chicos: *"Tienes que ser perfecto y preciso"*, y esta ansiedad por ser perfectos nos hace imperfectos. Tómalo con calma.

Pregunta: ¿Qué creó la ilusión de que estamos separados de Dios? ¿Dios nos ama a todos por igual? ¿Hay alguna persona en esta habitación que sea más importante para Él que otra?

Esa persona eres tú. Aunque hay un solo sol, este sol entra en cualquier cantidad de casas en esta ciudad. Podrías decir *"cómo es que el sol entró por esta ventana en esta casa, ¿y cómo puede estar en la casa de al lado también?"* Esa lógica es la de una mente pequeña.

Tienes una necesidad natural de ser alguien especial. Cada uno quiere ser alguien especial y muy cercano. Pero yo te digo, *¡ya lo eres!* Eres muy especial, único y muy apreciado, no importa lo que hagas o donde estés. No importa.

———◆·◆·◆———

Capítulo XIII

¿Qué es meditación?

Qué es meditación? Una mente en el momento presente es meditación. Una mente sin agitación es meditación. Una mente que se convierte en no-mente es meditación. Una mente que no tiene duda ni anticipación es meditación. Una mente que ha vuelto a casa, a la fuente, es meditación.

¿Cuándo es posible el descanso? Cuando cesan todas las otras actividades. Cuando dejas de moverte de un lado a otro, cuando dejas de trabajar, de hablar, de ver, de escuchar, de oler, de saborear, cuando todas estas actividades cesan, entonces descansas. Cuando dejas de hacer todas las actividades voluntarias y descansas. Cuando sólo continúan las actividades involuntarias: la respiración, el corazón que late, el estómago que está digiriendo los alimentos, la sangre que circula. Sólo quedas con actividad involuntaria y toda la actividad voluntaria ce-

sa. Esto es el sueño, el descanso, pero el sueño no es descanso total.

Cuando la mente se tranquiliza y ocurre la meditación, llega el descanso total. A veces puedes ir a dormir con cierta inquietud, agitación o deseo, porque la mente está ocupada planeando para el futuro. Esos planes quedan en la mente. Esas ambiciones están aún allí. A nivel superficial por algún tiempo parecerían no estar, pero lo están si buscas más profundamente Por eso cuando tienes muchas ambiciones o muchos deseos, el sueño no es profundo. La gente muy ambiciosa no puede tener sueño profundo porque la mente no se vuelve hueca y vacía. No está libre. La verdadera libertad es liberarse del futuro y del pasado.

Cuando no estás feliz en el presente, deseas un futuro más brillante y mantener el deseo en la mente hace que el presente no sea bueno. Esto, causa tensión en la mente. Cuando esto ocurre la meditación no tiene lugar. Puedes sentarte con los ojos cerrados a tratar de meditar pero si el deseo continúa apareciendo, te engañarás creyendo que estás meditando. Estás solo soñando despierto.

¿Qué significa estar enfocado? Realizado en el momento, mirando hacia lo más alto, estar centrado, permanecer en ese espacio de paz, eso es estar enfocado.

Cuando estás en paz, estás enfocado. Sin paz, no puedes enfocar tu mente. Y recíprocamente si estás enfocado lograrás la paz. Si no estás enfocado, tu mente gira y gira, da vueltas y no tiene paz.

Cada deseo o ambición es como una partícula de arena en los ojos que te irrita. Si tienes un grano de arena dentro de un ojo no puedes cerrarlos ni mantenerlos abiertos. En cualquiera de las dos formas es incómodo. Ser desapasionado es como quitarse la partícula de arena o el polvo del ojo, para abrirlos y cerrarlos libremente. Cuando eres desapasionado disfrutas del mundo libremente, te relajas y te sientes libre y liviano. Sientes libertad total. Eso es la liberación: Cuando no te molesta si ocurre algo, o cuando no te molesta que no ocurra nada. Si no eres desapasionado, te molestará el tener, tanto como no tener cosas.

Para los que tienen pareja, la pareja puede ser una preocupación. *¡Y los que no la tienen también!* Para algunos que tienen dinero puede ser una molestia porque están siempre pensando qué van a hacer con ese dinero. *¿Invierto, no invierto?* Si inviertes, estás preocupado porque crees que lo puedes perder, *¿cómo va la Bolsa?* Pero si no tienes dinero también esto puede ser una preocupación. La meditación es aceptar este momento, tal como es, vivir cada momento con absoluta profundidad.

¿Qué hacer cuando llegan los deseos? Simplemente ofrécelos y déjalos ir. Eso es meditación. No aferrarse a ellos, no soñar despierto. No puedes controlar tener o no tener. Aún si dices: *"No debería desear esto".* *¡Eso es otro deseo!* Y preguntar: *¿Cuándo me liberaré de los deseos?* Es otro deseo. A medida que aparecen los deseos, reconócelos y déjalos ir. Este proceso se denomina sanyas. Ofrécelos todos a medida que aparecen, a medida que nacen y céntrate. Cuando puedas hacer esto, estarás centrado, entonces nada te sacudirá, nada te sacará de tu centro. De lo contrario, las cosas pequeñas te pueden sacudir entristeciéndote y enojándote. *¿Por qué te enojas? ¿Por unas palabras de alguien? ¿Por algún insulto?*

Estas son pruebas para ti, para ver cuán fácilmente podrás liberarte de todo eso. Es el arte de liberarse. La vida te enseña el arte de liberarte de cada hecho. Cuanto más aprendes a liberarte, más feliz serás, más libre serás. Cuando aprendas a dejar ir, estarás alegre. A medida que comienzas a estar más alegre, más te será dado. A aquellos que tienen, más les será dado. Eso es la meditación.

Mientras queden deseos en tu mente, la mente no estará en descanso total. Entonces mira bien los deseos *¿qué son estos deseos?* Si puedes ver lo pequeños que los deseos realmente son, no tendrían por qué molestarte. Eso es madurez. Esto se llama discriminación. Discriminación es poder ver que todo esto no es nada *¿y entonces?* Otra manera de aliviar la opresión que causan los deseos es agrandar tu deseo, hacerlo tan grande que ya no te moleste. Solo una pequeña partícula de arena puede irritarte un ojo. Una piedra grande no cabe en tu ojo y no puede irritarlo. *¡Las cosas más insignificantes te producen tanta infelicidad!*

El *Bhagavad-Gita* dice que no podrás profundizar en el yoga a menos que dejes de lado todos tus deseos. Mientras te aferres al deseo de hacer algo, tu mente no se aquieta. *¿Entiendes el mecanismo?* Cuanto más ansioso estás por hacer algo más dificultad encontrarás para dormir. Antes de ir a dormir *¿qué haces?* Simplemente dejas todo de lado. Sólo entonces eres capaz de descansar.

¿Por qué no hacer lo mismo en actividad, momento a momento? O al menos durante la meditación. Cuando te sientas a meditar deja todo de lado. La mejor forma es el pensar, *"el mundo está desapareciendo, disuelto, muerto, yo estoy muerto"*. No podrás meditar a menos que pienses que estás muerto. *¡Muchas veces la mente no descansa ni aún después de la muerte!* Sabios son aquellos cuyas mentes se aquietan mientras están vivos.

¿A qué puedes aferrarte en la vida? Ni siquiera puedes aferrarte a este cuerpo para siempre. Por más cuida-

do que le des algún día te dirá adiós. Serás desahuciado forzosamente de este lugar, de este cuerpo, tal vez sin previo aviso. *¡Sin tiempo para preparar las maletas!* Antes de que el cuerpo te deje, aprende a dejar todo. Eso es libertad.

¿Qué es lo que estás buscando, a que te estás aferrando? ¿Alguna gran alegría? ¿Qué gran alegría te puede llegar? Tú eres la alegría. A menudo los perros se la pasan mordiendo un hueso seco. *¿Sabes por qué?* Cuando muerden un trozo de hueso, muerden y muerden y se hacen pequeñas heridas en la boca por las que corre su propia sangre. Entonces el perro cree que el hueso es muy sabroso. Después de un tiempo al perro le duele toda la boca porque el pobre estuvo todo el tiempo mascando un pedazo de hueso sin sacar nada de él. El hueso no es jugoso.

Cualquier alegría que puedas experimentar en la vida viene de tu interior. Cuando seas capaz de dejar todo aquello a lo que te aferras, de calmarte y estar más centrado en ese espacio, a este acto se le llama meditación. La meditación es el arte de no-hacer, el arte de no hacer nada. Este descanso es más profundo que el más profundo descanso que alguna vez puedas lograr, más profundo que todo, porque aun durante el sueño hay algún lugar en donde el deseo permanece. Durante la meditación trasciendes todos los deseos. Esto aporta una gran tranquilidad a tu cerebro. Como reparar todo tu cuerpo, hacerle un servicio de mantenimiento a tu cuerpo, al complejo mente-cuerpo.

Meditación es liberar toda la rabia o la ira de los sucesos del pasado y dejar ir todos tus planes para el futuro. No importa lo que hayas planeado o qué es lo que hagas en tu vida, el destino final será la tumba. Si vives como una buena persona o si vives como una mala persona, si ríes o si lloras o hagas lo que hagas todos iremos a la tumba. Seas pecador o seas santo irás a la tumba. Pobre o rico, inteligente o no, mudo o estúpido *¡irás a la tumba!*

¿Qué son todas esas cosas pequeñas que aparecen en tu mente impidiéndote tener calma y paz y sentir alegría y amor? Amado u odiado irás a la tumba. Si amas a alguien o lo odias ambos acabarán en la tumba. La gente ha luchado en guerras, pero tanto los que ganaron como los que perdieron fueron a la tumba. *¿Qué importa?* La diferencia no es nada más que una cuestión de años. Aquellos que sobrevivieron también sufrieron; los que se fueron antes, partieron más pacíficamente. El paciente muere y el doctor también muere. Ambos van a la tumba. Dios ríe en estas dos ocasiones: cuando un doctor le dice a un paciente, *"bien, no se preocupe, yo estoy aquí para salvarlo"*, o en la otra cuando dos personas dicen, *"esta es mi tierra"*, y pelean por un terreno. En-

tonces Dios ríe. *¡Ambos irán a la tumba!* Diciendo aun, *"esta es mi tierra".*

El desapasionamiento puede darte mucha alegría en la vida. No pienses que el desapasionamiento es estar en un estado de apatía. Hay diferencia entre ambos. El ser apático no da plenitud. El desapasionamiento te llena de entusiasmo y alegría, le trae alegría a la vida. Te permite descansar bien. Cuando descansas bien, cuando meditas profundamente, te vuelves muy dinámico y eres capaz de actuar mejor.

Ambas cosas, un profundo descanso y una actividad dinámica son valores opuestos pero muy complementarios. Cuanto más profundo, descanses más dinámico serás en la actividad.

No pienses que al ser desapasionado debas renunciar a todo y recluirte en un convento o en un monasterio. Además, la gente en los monasterios también sueña con irse al cielo. En una oportunidad, una monja muy anciana me dijo: *"Dígame, ¿usted sabe cómo es en el cielo? Yo no tengo experiencia, no estoy acostumbrada a lugares nuevos, me gustaría saber si me podré acostumbrar".* Entonces le respondí: *"No se preocupe. Allí tendrá una hermosa cama para dormir. Habrá muchos sirvientes que le harán masajes y la pondrán a descansar".*

Aferrarte a la idea de *"hacedor"*, puede frenarte. Aferrarte a algún plan te impide bucear profundo en la meditación. Entender esto ya es suficiente. Libérate, siéntate y verás que un par de días de práctica pueden cambiar tu calidad de vida.

Pregunta: Otro Maestro, Maharishi Mahesh Yoghi, solía decir que no había que dejar de desear, sino desear aún más, porque los deseos te llevarían a la máxima realización.

Los Maestros dicen cosas diferentes en momentos distintos de épocas diferentes, en situaciones y a personas distintas. Todo tiene su motivo de ser según el momento y el lugar. Si se le dijera a la gente que no necesita desear, comerían, beberían y dormirían únicamente y no meditarían, no se harían preguntas sobre la vida o sobre la verdad. La instrucción para aquellas personas en esa época era desear lo máximo, desear algo más en la vida.

Seguir este deseo te pone en el camino. Una vez que estás en el camino, cuando has conducido hasta tu casa y tu auto ya está en el garaje, entonces te digo *¡Sal del auto! ¡Las instrucciones son diferentes para cada momento y lugares de lo contrario te quedarías sentado dentro del auto en el garaje para siempre!* Estás dormitando en tu auto cuando yo te digo que aquí hay una hermosa cama. *¡Vamos, sal del auto!* Estás en casa. Duerme bien, descansa bien. Libérate de todo lo que estás haciendo, deja todos los deseos de lado.

Examina un deseo. Fíjate dónde estabas antes de que apareciera el deseo y donde estás ahora una vez que se ha cumplido. Verás que son como los caballitos del tío vivo. Das vueltas y vueltas y llegas otra vez al mismo lugar donde comenzaste. Aun después de que se te haya cumplido un deseo verás que estás en el mismo lugar. *¿Entonces?* Aun si el deseo se te cumplió te dejo en el mismo lugar.

Pregunta: Una vez que nos hemos ido a dormir, todos los sonidos y los olores, todo permanece aún allí, todo el escenario, pero la mente se fue ¿Dónde está la mente en ese momento?

El cuerpo y la mente no se pueden separar. El aspecto burdo de la mente es el cuerpo y el aspecto sutil del cuerpo es la mente. Se retiran simultáneamente y descansan, entran en un estado de inercia en el cual, el *Conocimiento* en la mente, la parte consciente, se retrae hacia atrás. Igual que el sol, *¿qué pasa cuando se pone el sol?* Llega la noche. Pero el sol no desaparece, está solo escondido. Del mismo modo, el *Conocimiento*, percibir la vida, la conciencia se retira, se va hacia otra dimensión cuando llega el sueño y toma el control de nosotros.

Por eso a la oscuridad, a la inercia se la denomina *ta-másica*. La inercia toma control. Es el momento de ta-mas. Luego vendrá el despertar. Los sueños son como el crepúsculo. La mejor comparación de los tres estados de conciencia: la vigilia, el dormir y el sueño, es compa-rarlos con la naturaleza. La naturaleza, toda la existen-cia, duerme, se despierta y sueña. Funciona así en una gran escala en la existencia y lo mismo sucede en peque-ña escala en el cuerpo humano. La meditación es como un vuelo al espacio exterior donde no hay crepúsculo ni amanecer, hay nada más que vacío.

Capítulo XIV

Los seis tipos de riqueza y los cuatro pilares del Conocimiento

El máximo conocimiento de quién eres es muy simple. Es lo más simple y por eso no es muy fácil. Está potencialmente disponible, pero dinámicamente, prácticamente no lo está. Aunque eres *Eso,* el saber que eres *Eso* necesita algo de preparación.

Dios es la mercancía más barata que existe, porque fuera de Dios no puede haber nada, no hay nada, no hay un afuera. Entonces *¿Por qué Dios no es una realidad vivencial en cada uno de nosotros?* Es una pregunta fundamental: si yo soy Dios *¿por qué no me doy cuenta que soy Dios? ¿Por qué no lo puedo vivenciar? ¿Por qué tengo que pasar por todo esto?*

El simple hecho de oír la verdad no te produce nada. Oír la verdad no te llama la atención, simplemente te crea un concepto. Por eso existen las prácticas que actúan como señaladores.

Usar las prácticas (para ver nuestro propio *Ser*) es como decir, *"mira aquella estrella allá en el cielo". ¿Qué estrella? "Aquella justo encima del árbol, encima de aquella rama"*. Usas la rama para poder señalar la estrella detrás de la rama aunque la estrella no tiene nada que ver con la rama. Hoy mucha gente inteligente ha descartado la rama y dice que no tiene sentido hacer práctica alguna, que no es necesario, porque ellos no han entendido un factor muy importante.

No han entendido que con el simple hecho de enunciar la verdad no es suficiente. Lo tienes que ver desde el mismo punto de vista de quien la busca y partir de allí. Con sólo describir el destino a donde uno se dirige no alcanza. Necesitas que te den un mapa de ruta e instrucciones de dónde doblar y qué salida tomar. De lo contrario podrías permanecer todo el rato en la autopista sin saber por dónde salir. Esto haría que el viaje resulte continuo y sin fin. Las instrucciones son esenciales.

Existen cuatro importantes requisitos para alcanzar al *Ser*. Estos son *"los Cuatro Pilares"* o las *"Cuatro Herramientas"*.

El primero se denomina *viveka*. *Viveka* se traduce comúnmente como discriminación pero no es únicamente discriminación. *Viveka* es el entendimiento o la comprensión de que todo está cambiando. Aquello que consideres estanco o sólido no es estanco ni sólido. Todo cambia. La existencia es una realidad permanentemente cambiante. El claro entendimiento de esto se llama *viveka*.

Nuestro propio cuerpo cambia. Cada célula de nuestro cuerpo cambia. Cada minuto se generan nuevas células y las viejas se mueren. Cada vez que respiras, ingresa una nueva energía en el cuerpo y la vieja sale. Nuestro cuerpo es un manojo de átomos y los átomos se desintegran continuamente. Cambian a medida que el cuerpo se desintegra y crece.

Nuestros pensamientos cambian y nuestras emociones cambian. Ahora no eres la misma persona que eras ayer y no serás la misma mañana. No puedes mantener el mismo nivel de tristeza todos los días durante todo el tiempo. Verás que esto fluctúa, que aumenta o disminuye, o sus causas cambian. Puedes pensar que eres infeliz, pero puede ser que seas infeliz por diferentes motivos en días diferentes. No puedes ser infeliz por la misma causa todo el tiempo. Habrá algún tipo de variación gradual. Lo mismo es válido para el resto del mundo y del universo.

Existe algo diferente a esto que no cambia. La discriminación entre lo que no cambia y todo lo demás que sí cambia, es *Viveka*. No sabes qué es lo que cambia pero sabes lo que no cambia.

En el mismo instante en que notas que las cosas cambian, comienzas a ver que el que observa el cambio no está cambiando.

Aquel que está observando los cambios no cambia, porque de lo contrario, *¿Cómo podría alguien notar que todo está cambiando?* El punto de referencia del cambio es el no-cambio. Con *viveka* uno reconoce los cambios. Si se entendiese esto claramente, la angustia que enfrenta el mundo se reduciría en un 99 por ciento.

El segundo pilar se llama *Vairagya*. *Vairagya* también se traduce como "*desapasionamiento*". Detrás de cada angustia hay una esperanza. El combustible para la gente angustiada es la esperanza. Por ejemplo, cuando se tiene un profundo deseo de felicidad para el futuro: tal vez sea más feliz si cambiase de empleo, si me mudase a otra ciudad, si cambiase de pareja, o de relación, entonces seré más feliz. Esto es esperanza de algo diferente para el futuro. Los solteros piensan que serán felices si se casan. Los casados piensan que les iba mejor cuando estaban solos, otros piensan que si tuvieran hijos serían felices, pero los que tienen hijos piensan que cuando éstos crezcan y se independicen entonces ellos serán felices.

Prever la felicidad en algún momento en el futuro es lo que nos hace infelices en este preciso instante. El deseo de placeres en el futuro, ya sea mundano o divino, nos hace perder el tren.

Mires a donde mires se repite la historia. Los niños piensan que cuando sean mayores tendrán más poder, más control, serán libres, su madre dejará de vigilarlos todo el tiempo. Podrán tener más libertad, como su hermano mayor. Creen que la alegría está en ser mayor, pero una vez que se convierten en estudiantes universitarios, dicen *"si consigo trabajo y hago mis propios negocios, seré más independiente y entonces seré feliz"*.

Aquellos empeñados en encontrar la pareja correcta, alguien que coincida plenamente con ellos, su media naranja, dicen: *"Cuando encuentre mi media naranja, seré feliz"*. Y todos los que encontraron a su media naranja *¿son felices?* Cuando conocemos a alguien que creemos que es nuestra alma gemela, lo observamos para ver si seremos felices. Luego, las pequeñeces, las cosas no intencionadas comienzan a herirnos. Si nuestra media naranja estaba preocupada y no nos sonrió inmediatamente *¡se terminó nuestra alegría!* Queremos que nos explique por qué no sonrió *¡Aquí empieza toda la telenovela!* Uno quiere tener un bebé y el otro no. *¿Qué hacer? ¿Llegar a un acuerdo?* De una forma u otra habrá que llegar a un acuerdo pues los deseos de ambos no pueden cumplirse al mismo tiempo.

En la vida laboral algunos dicen: *"Cuando sea gerente de la empresa, seré feliz"*. Los gerentes piensan: *"Oh, si llegara a director entonces sería feliz"*, pero los directores piensan: *"Tendría que tener una empresa más grande, expandirme, ser internacional y entonces seré feliz"*. Todo bien, ahora tienes una cadena internacional de empresas. *¿Y qué conseguiste?* Presión alta, dolores de corazón, problemas de riñón, en el hígado, males de tanto viajar, insomnio y todo lo demás. Entonces crees que la empresa se ha vuelto demasiado grande y que ya no puedes manejarla y te pones celoso de los empleados porque ellos simplemente vienen a trabajar, ganan su sueldo y se van felices a dormir a casa.

También hay otro tipo de gente en este mundo que son capaces de sufrir a lo largo de toda la vida pensando que cuando mueran tendrán más comodidades allá arriba en el cielo si han sufrido aquí abajo. Están también los que no permiten una sola diversión y otros que buscan continuamente más y más placer. Cada placer te deja en el mismo lugar donde empezaste. No te llevan a ninguna parte. El placer solamente te cansa.

Si algo es muy hermoso *¿cuánto tiempo más podrás seguir mirándolo?* Los párpados finalmente se cerrarán y tendrás que retirarte. *¿Cuánto puedes disfrutar del aroma de un hermoso perfume? ¿Puedes estar todo el tiempo con la nariz dentro del frasco de perfume?* Los que trabajan en fábricas de perfume y en perfumerías están hartos de ellos. Si te gustan los dulces *¿Cuántos puedes poner en tu estómago? ¿Cuánto helado puedes disfrutar? ¿Cuántas cervezas te puedes tragar? ¿Cuánto chocolate?*

¿Tienes idea de cuánta comida ha pasado por tu boca? Simplemente haz un cálculo. Si en un día consumes dos kilos, *¡eso significa más de 700 kilos al año!* En cincuenta años de vida has tragado toneladas de comida.

¿Y la música? ¿Cuánta puedes escuchar? Tocar y ser tocado, ¿por cuánto tiempo lo disfrutas? Eventualmente, tocar o ser tocado, te secará, te dejará exhausto. Esto es verdad con todos los sentidos. El mundo está lleno de placer para estos cinco sentidos, lleno de objetos para los cinco sentidos.

Disfrutar a través de los sentidos no te lleva más lejos, los sentidos no pueden elevarte a las grandes alturas de la dicha. Una actitud de, *"¡y a mí qué!, sea lo que sea,"* te quita esa febrilidad y avidez y te trae de nuevo a ese pilar del desapasionamiento.

El desapasionamiento *NO* es apatía. A veces creemos que el desapasionamiento significa no ser entusiasta, que es ser depresivo y desinteresado de todo *¡Eso no es el desapasionamiento!* El desapasionamiento es la falta de febrilidad. Aun si el deseo es lograr algún mérito que nos beneficie más tarde en el cielo, este deseo, esta febrilidad no es desapasionamiento. El desapasionamiento hacia los placeres de este mundo o del próximo, hacia lo visible o lo invisible, hacia el mundo exterior o el interior, es el segundo pilar del conocimiento. El desapasionamiento te vuelve muy estable y sólido en tu camino.

El tercer pilar incluye las *Seis Riquezas.* Estas son: *shama, dama, uparati, titiksha, shraddha y samadhana.*

La primera riqueza es *shama. Shama* es la tranquilidad mental. Cuando la mente quiere hacer demasiadas cosas, se destroza por completo. Cuando estás establecido en *shama,* eres capaz de enfocarte y tu mente está más alerta. Cuando el desapasionamiento está firmemente establecido, *shama* comienza a ocurrir automáticamente, la mente está tranquila.

La segunda riqueza es *dama* que es la habilidad de dominar nuestros sentidos. Muchas veces no tienes ganas de decir algo y sin embargo lo haces. No quieres mirar algo pero así y todo lo miras. Por ejemplo, estás viajando en avión y dan una película, decides que la película es una porquería y quieres dormir. Un poco más tarde abres los ojos y comienzas a mirar la película. Puedes haber decidido no mirarla tres veces, pero sigues mirando. Otro tanto ocurre cuando decides que no comerás nada más. Pero luego sirven algo rico, huele tan bien, que decides tomar un bocado, luego otro y otro más. Muy pronto, para tu sorpresa, verás que has comido mucho más de lo que tu estómago puede soportar.

Teniendo *dama*, tienes poder sobre tus sentidos. No te arrastras y no te dejas llevar por ellos. Serás capaz de decir *"sí"* o *"no"* a los sentidos. Sin *dama*, la mayor parte del tiempo no eres tú quien dice sí o no; son los sentidos los que te lo dicen a ti.

Titiksha, la tercera riqueza, es la paciencia o la tolerancia. En momentos difíciles, la paciencia te permite seguir adelante sin causarte demasiado daño. En la vida ocurren hechos agradables y desagradables también. *¡Y qué! ¡Ninguno será para siempre!* La salud y la enfermedad llegan. Los humores van y vienen. Hay pérdidas y ganancias en los negocios. La gente viene y se va en la vida. Los amigos vienen y se van. Las disputas también. *Titiksha* es no dejarse sacudir por lo que sucede.

Hay niños que pueden pasarse horas llorando por

pequeñeces. Mami no les da chocolate u otra cosa. Otros en cambio, lloran un ratito, paran enseguida y cambian de idea. Lo mismo ocurre con los adultos. Si algo te sucede, como una ruptura de pareja, esto te perturba por largo tiempo, seis meses, tal vez un año. Tu mente sigue mascando lo mismo sin liberarse y seguir adelante. Tener *titiksha* otorga paciencia para todo.

A menudo, lo desagradable en un momento se torna agradable más adelante. Son cambios que suceden en la vida. Lo que creías muy malo, resultó ser algo muy bueno para ti más tarde. Te hizo fuerte. Entender esto te ayuda a no aferrarte al pasado y a no juzgar lo que ocurrió como bueno o malo. La capacidad de no dejarse llevar por los hechos o los juicios, es *titiksha*.

Cuando juegas a algo o miras un juego o evento deportivo, ganar y perder forman parte de él. Cuando la posibilidad de perder es mayor, el juego es más interesante. Tiene más valor si es más difícil. En cambio, si ya sabes de antemano quién ganará y quién perderá el juego pierde su encanto. Debes ver la vida como un juego. Los problemas en la vida son parte del total que es ese juego. Sólo asegúrate de que esos problemas o desafíos no te sacudan para nada.

Mira hacia atrás y ve todas las situaciones difíciles que atravesaste en la vida. A pesar de todo, sigues entero hoy. Las dificultades no lograron destruirte. Eres mucho más poderoso y mucho más significativo que ellas. Este simple entendimiento de que, venga lo que venga en la vida, los hechos agradables, desagradables, los placenteros o infelices no pueden afectarte. Con esto, la tolerancia que nace en ti es la tercera riqueza.

La cuarta riqueza es *uparati*. *Uparati* quiere decir regocijarte en tu propia naturaleza, estar con tu naturaleza. A menudo no estás en sintonía con tu naturaleza. Haces determinadas cosas porque alguien más lo dice o lo hace. Muchas veces la gente hace cosas para recibir la aprobación de los demás. Algunos compran casas grandes o autos para que sus amigos vean y aprecien lo que ellos tienen. Actuando de esta forma, no estamos en contacto con nuestra naturaleza. Estar en el momento presente, en la alegría que eres, en la habilidad para regocijarte en cada cosa que haces, eso es *uparati*.

Uparati es liberarte de todo, ser juguetón y uparati es también tomarse las cosas seriamente. Estos son dos valores completamente opuestos, pero tomarlos juntos, y vivirlos juntos es *uparati*.

La quinta riqueza es *shraddha*. *Shraddha* significa fe. Cuando llegas al límite de tu conocimiento, necesitas la fe. Comprendes algo hasta determinado punto, pero al-

go más allá no comprendes nada más. Tu deseo por conocer lo desconocido es *shraddha*, es la fe.

Si tu mente está fija y dice, basta. Lo sé, no hay nada
más, eso es fanatismo, eso es ego *"lo sé todo"*. Cuando
reconoces que no puede conocerse toda la *Creación*,
que existe algo más allá de lo que tú puedes saber, entonces tienes fe. El reconocimiento de la existencia de lo
que no se puede conocer es *shraddha*. Fe en ti mismo,
en el Maestro, en Dios, en el infinito orden de las cosas,
fe en ese amor del infinito, eso es *shraddha*.

Podemos ver la fe de una manera simple. La duda tiene tres divisiones: la primera es dudar de ti mismo, la segunda es dudar de los demás y la tercera, es dudar de todo. El noventa y nueve por ciento de la gente duda de
todo, porque no creen que hay un todo que rige todo.
Se habla mucho de Dios, pero si te fijas detenidamente
verás que la fe es realmente endeble. No hay fe en el infinito que organiza, en un poder inteligente que tiene
todo bajo control. Esta fe está ausente. Cuando aparen-
ta estar no es nada más que un decorado exterior, es como una insignia que usas en la solapa.

Luego está la duda en la gente. Cuando alguien dice,
"te amo", dudas. *"¿Lo dices en serio?"* Preguntas,
"¿realmente me amas?". Sin embargo, por el contrario,
si alguien se enoja contigo, jamás preguntas, *"¿Estás*

realmente enojado conmigo?" Fíjate que la duda siempre la tienes por lo positivo en los demás. Crees que no puedes confiar en nadie y luego tratas de encontrar la confianza en esta persona o aquella, pero eres incapaz de ello. Es lo más común y te apena, porque confiar en los demás está en relación contigo, en la fe en ti mismo.

La tercera división es la propia duda. Jamás dudas de tu propio enojo, de tu depresión, de tu tristeza o de tu miseria, pero dudas de todas las buenas cualidades que tienes. Dudas de tus capacidades, no dudas de tu incapacidad. *¡Deberías dudar de tus limitaciones, de tu incapacidad! ¿Quién sabe en qué te convertirás dentro de un instante? ¿Quién sabe las nobles y bellas características que hay dentro de ti y cuándo florecerán?* Tal vez florezcas en otro Buda.

Cuando dudas de tu incapacidad, la fe en tus habilidades crece. Entonces comenzarás a dudar de las tendencias negativas de la gente y atribuirás esas tendencias a su estado de estrés, no a ellos. Tu confianza en los demás comenzará a crecer y tu fe en lo Divino, en la existencia universal, también crece. Toda esta existencia es una. Finalmente hay una única mente, una única inteligencia, un único Ser.

El Maestro está allí para demostrártelo prácticamente, para contártelo. Hay uno solo. Yo soy tú, tú eres yo.

Cuando el Maestro dice esto, ver al Maestro tal como es, no a través de una visión bloqueada ni a través de ojos sospechosos, es *shraddha,* fe. El Maestro no tiene que obtener nada de ti. Si lo miras con ojo sospechoso, te preguntarás qué se propone. Ahí estás atascado, rebobinando en tu mente estrecha, incapaz de espiar dentro de lo Divino, del Infinito, de la existencia total. Te perderás todo el regocijo. Te perderás por completo la esencia que estás anhelando, consciente o inconscientemente.

Cuando comienzas con las prácticas porque te han dicho que te harán bien, y luego comienzas a ver algún resultado, alguna influencia, querrás seguir haciéndolas. Sin fe, ni siquiera las harás.

Sin fe, sería como quien dice, *"Primero enséñame a nadar, y luego entraré al agua". ¡Para aprender a nadar, debes entrar al agua primero!* El tener demasiada anticipación, ser demasiado cauteloso, te priva del total regocijo en la vida. Sólo cuando tengas fe en el maestro, entrarás al agua y aprenderás a nadar. *Shraddha,* la fe es necesaria.

No hay actividad que pueda llevarse a cabo en este mundo sin el elemento de la fe. Tienes fe en el banco, entonces depositas allí tu dinero. Tienes fe en la ley y en el orden de este país; estacionas tu auto afuera porque crees que lo encontrarás allí al volver. Tienes fe en el funcionamiento de las líneas aéreas, por eso te relajas y vuelas. La compañía de teléfonos tiene fe en ti, entonces coloca una línea telefónica en tu casa. Están seguros que tendrán una forma de cobrarte.

El mundo entero trabaja basado en la fe. Por ejemplo, cualquier sistema, una tarjeta de crédito, una aerolínea, el alquiler de una casa, una hipoteca, o la medicina, a pesar de no existir garantía, hay un alto porcentaje de probabilidades que todo funcione como debe ser. Los médicos tienen fe en que los remedios que te recetan, producirán el efecto esperado. Al menos en el noventa por ciento de las veces se produce el efecto deseado. Si existiera un cien por cien de probabilidades, la fe no sería necesaria. Cuando hay menos de un cien por cien de probabilidad, significa que el resultado no es dado por el conocimiento, sino por la fe. La fe es una hermosa cualidad de tu conciencia. La fe es un hermoso florecer de tu ser. Es una de las seis riquezas.

La sexta riqueza es *samadhana*. *Samadhana* quiere decir sentirse a gusto, estar conforme. *¿Cómo te sientes cuando estás a gusto? ¿Lo recuerdas? ¿Qué se siente cuando estás totalmente a gusto, sereno y calmo?* Estar a gusto contigo mismo, con el ambiente que te rodea, con la gente que te rodea, con todo, con la existencia, eso es *samadhana*. Es una gran riqueza en sí misma.

Estas seis riquezas juntas forman el tercer pilar. El

cuarto pilar del conocimiento se denomina *mumuks-hatva*. *Mumukshatva* es el deseo por lo más alto, el deseo de libertad total, de iluminación, como quieras llamarlo. Por empezar, sólo puedes desear algo cuando sientes que es posible para ti. Cuando piensas que no es posible, ni siquiera puedes desearlo. Si piensas que no es posible la iluminación para ti, quiere decir que todas las buenas cualidades de la iluminación no aparecerán en ti. Si piensas que el máximo estado de elevación no es posible para ti, lentamente vas eliminando la siguiente posibilidad, y luego la que sigue y la otra, hasta que pierdes lo que se denomina la auto-estima. Es ahí cuando piensas que no eres capaz de hacer nada.

Mumukshatva está presente cuando existe un profundo deseo por lo más elevado, un deseo ardiente, un anhelo por lo Divino en ti, un anhelo de lo infinito, de una vida mejor. Un anhelo de ser un devoto, un siervo, un amado, un anhelo en ti de ser parte y parcela del todo. Estos potenciales que hay en ti, no pueden ser descubiertos o despertados, si no los deseas. Nadie puede ser forzado a aprender a meditar, a menos que desee aprender a hacerlo.

Cuando existe en uno el deseo de aprender, debe venir desde adentro. No creas que debes tender a esto. Ya lo tienes. En cierto grado, hasta cierto punto, también posees las seis riquezas. Si les prestas algo más de atención, se harán más fuertes y más sólidas en ti. Los pilares están allí. Sólo tienes que solidificarlos, construirlos un poco más altos.

Cursos de El Arte de Vivir

La **Fundación El Arte de Vivir** es una organización internacional de educación y servicio sin fines de lucro, dedicada a elevar los valores humanos. Además de los numerosos programas de servicios caritativos, se ofrecen dos talleres para mejorar la vida del individuo.

El **Curso Básico El Arte de Vivir** ofrece prácticas que demuestran el poder curativo natural de la respiración. Los ejercicios fortalecen y restauran la salud básica y mejoran el florecimiento del propio potencial.

Todos desean más amor, más felicidad y más salud, pero sin los medios para quitar el estrés físico y emocional depositado en la mente y en el cuerpo, estas cualidades no pueden desarrollarse completamente. La respiración y las emociones están íntimamente ligadas. La respiración puede usarse de manera tal, que haga salir el estrés y las emociones negativas que se han depositado en el interior. A través de prácticas respiratorias también se puede infundir energía al cuerpo.

Sudarshan Kriya, una práctica que se dicta en el *Curso Básico El Arte de Vivir,* produce una calma profunda en la mente mientras cada célula del cuerpo es oxigenada y vivificada con energía.

Este proceso de limpieza disuelve poderosamente el estrés. Sólo 10 minutos de práctica, una o dos veces por día, lo dejan a uno física y mentalmente renovado, y elevado espiritual y emocionalmente. Una práctica regular incrementa y profundiza los beneficios, trayendo una mejora fundamental en la propia armonía emocional, en la salud y el estado mental.

Los *Cursos Avanzados (Fase Dos),* están disponibles para aquellos que han completado el *Curso Básico El Arte de Vivir.* Generalmente se ofrecen en residencia por 3-7 días. Los *Cursos Avanzados* ofrecen la oportunidad de un descanso muy profundo por medio de poderosas prácticas de meditación grupal. Los programas de prácticas adicionales y conocimiento avanzado también forman parte de los cursos. Algunos *Cursos Avanzados* son dirigidos por *Sri Sri Ravi Shankar.*

"Durante el sueño nos quitamos la fatiga, pero el estrés más profundo permanece. La meditación y Sudarshan Kriya limpian todo nuestro organismo. Se produce un florecimiento desde el interior y te vuelves totalmente centrado. De lo contrario nuestra paz se ve perturbada por pequeñeces. Estas prácticas están orientadas a centrarte de tal forma que no te encuentres perdido en ninguna situación o circunstancia. Eres capaz de manejar lo que sea, de una manera muy calma y pacífica".

Sri Sri Ravi Shankar

La *Meditación Sahaj Samadhi,* es un sistema natural antiguo sin esfuerzos, dado a conocer por *Sri Sri Ravi Shankar* y enseñado en todo el mundo por calificados instructores para la *Fundación El Arte de Vivir.* El estado más profundo de descanso natural que uno pueda experimentar, es el estado de conciencia meditativa. Esta situación sólo puede ocurrir cuando a la mente le es permitido aquietarse profundamente dentro de sí misma sin esfuerzo. La práctica es simple, pero también un delicado arte que requiere de un par de sesiones con guía personalizada y no puede aprenderse de un libro. Con una práctica regular, la paz obtenida durante la meditación se profundiza y se mantiene contigo cada vez por períodos más largos, volviéndote más claro, centrado, descansado y alerta.

Las prácticas ofrecidas en los talleres pueden ser aprendidas por cualquier persona en menos de una semana. Los talleres se ofrecen a pedido. Los cursos pueden ser diseñados para programas con empleados internos. También están disponibles los talleres especiales para personas con enfermedades que conllevan riesgo de vida o depresiones de largo tiempo. Los estudios han demostrado un amplio rango de mejoras en la salud física y mental provenientes de las prácticas de *Sudarshan Kriya* y meditación.

Fundación El Arte de Vivir - Argentina
Para mayor información consulte nuestra página web:
www.elartedevivir.org

Centros de El Arte de Vivir

SEDE CENTRAL EL ARTE DE VIVIR / BANGALORE, INDIA
Teléfonos: (91 80) 2843-2273 / 2274
e-mail: ashram@artofliving.org / www.artofliving.org

BAD ANTOGAST, ALEMANIA
Teléfono: (49 7804) 91-0923
e-mail: europeancenter@artofliving.net

BOGOTÁ, COLOMBIA
Teléfono: (57 1) 614-4660
e-mail: jweckhoff@yahoo.com

BUENOS AIRES, ARGENTINA
Teléfono: (54 11) 4553-0407
e-mail: info@elartedevivir.org / www.elartedevivir.org

PANAMÁ, PANAMÁ
Teléfonos: (50 7) 226-5139 / 226-9541
e-mail: info@artedevivir.org.pa

SAN JOSÉ, COSTA RICA
Teléfonos: (50 6) 290-5517 / Beeper: (506) 233-3333
e-mail: jessica@artedevivircostarica.org

SAN SALVADOR, EL SALVADOR
Teléfono: (50 3) 289-1422
e-mail: ana.de.fernandez@salnet.net

SANTIAGO, CHILE
Teléfonos: (56 2) 269-2507 / 325-2595
e-mail: aolchile@hotmail.com

SÃO PAULO, BRASIL
Teléfono: (55 11) 9935-2857
e-mail: info@artedeviver.org.br

TARASKA, POLONIA
Teléfonos: (48 44) 756-9018 / 756-9029
e-mail: center.poland@artofliving.pl

QUEBEC, CANADÁ
Teléfono: (81 9) 532-3328
e-mail: artdevivre@artofliving.org

Cu: 4238-8268

Este libro se terminó de imprimir, en el mes de septiembre de 2007,
en **Buenos Aires Print**, Anatole France 570, Sarandí,
Provincia de Buenos Aires, Argentina.